JE SUIS MARIANNE

DU MÊME AUTEUR

ALLAH EST GRAND LA RÉPUBLIQUE AUSSI,
  JC Lattès, 2014.

LYDIA GUIROUS

JE SUIS MARIANNE

BERNARD GRASSET
PARIS

Introduction

Je ne pensais pas devoir ajouter ces quelques lignes juste avant l'impression de mon livre.

13 novembre 2015 : plus de 130 morts, plusieurs centaines de blessés, des vies volées, des destins brisés en plein Paris par l'islam radical, la lâcheté et le déni.

L'islam radical tue parce que nous sommes français, l'islam radical tue parce que nous sommes heureux, l'islam radical tue parce que nous sommes libres.

La République est un combat de tous les jours.

Jamais nous ne renoncerons à nos valeurs.

« Marianne revient. » J'avais terminé mon premier livre par ces deux mots. Un appel, plein d'espoir mais sans illusion. Une bouteille à la mer. Je savais que le pire était devant nous, que les Merah, Nemmouche n'étaient que les premiers d'une longue série de barbares avides de sang occidental, de juifs, de revanche. Les germes de la destruction de la République se développent depuis de nombreuses années mais personne n'a voulu les voir. Ni les politiques, trop sensibles à leur image ; ni les médias biberonnés au sein de la bien-pensance ; ni les « associations de terrain » gangrénées par le syndrome de la revanche postcoloniale.

On m'avait dit qu'il était « anxiogène » de considérer qu'il y avait une radicalisation des esprits dans les quartiers, que l'islam radical était un phénomène marginal et qu'en parler faisait le jeu du Front national. La démission, donc, plutôt que la responsabilité. Marine Le Pen fait son beurre sur la lâcheté de nos élites et leur suffisance. Le peuple vit dans la difficulté économique, la désespérance sociale, auxquelles aujourd'hui s'ajoutent les tensions identitaires et culturelles. Nombreux sont ceux qui préfèrent abandonner cette partie de la France, souvent celle des « sans-dents », comme se plaît à les décrire François Hollande, car l'identité est un sujet bien trop dangereux qui dérange encore aux belles âmes de gauche ou à une partie de la droite honteuse. Comment en parler sans passer pour un extrémiste ? Comment poser le problème sur la table, car il est bel et bien là, sans risquer d'être blacklisté par le microcosme parisien ?

Ma France souffre et mon devoir est de ne pas l'abandonner. Le peuple grogne. La haine de la France croît jour après jour mais peu veulent le voir, l'entendre… Tout ne tient qu'à un fil. Je n'oublie pas le mois de décembre 2014 et les multiples attaques, dont certaines aux cris d'« Allah Akbar ». L'affaire de Créteil, que tout le monde semble avoir oubliée. Ce drame atroce d'une famille dont le fils a été passé à tabac et la petite amie ligotée au milieu du salon et violée… Quel crime avait donc commis cette famille ? Aucun. Ils étaient juifs et, pour certains, cela constitue le crime ultime. L'antisémitisme est une vieille maladie abjecte, venue du fond des siècles, que même l'esprit, la culture et la prospérité ne semblent réussir à éradiquer.

Il y a comme une complaisance, une manière de ne pas dire les choses pour ne pas froisser, ne pas accentuer certains sujets décrétés « sensibles ». L'affaire de Créteil a été traitée comme un banal fait divers, un de plus. Après l'assassinat d'Ilan Halimi, des enfants de l'école juive de Toulouse, après le Musée juif de Bruxelles… Créteil, de manière tacite, était considérée comme un non-événement. Pourtant, c'est bien après chacun de ces drames que la France aurait dû défiler, indignée, rassemblée pour dénoncer l'intolérable, et rappeler l'esprit de Marianne. Malheureusement, ils ont préféré le « Circulez, il n'y a rien à voir. » Jeu dangereux car lorsqu'on s'en prend à un juif, on s'en prend à la République et ses valeurs. La haine du juif est le virus foudroyant des démocraties. L'histoire nous l'a appris. L'antisémitisme est un indicateur de la santé démocratique d'un pays. Plus la France décline, plus la République vacille, plus l'antisémitisme prospère.

Tout cela n'a rien de réjouissant. Janvier 2015, alors que je suis en débat à Sud Radio face à un imam de Seine-Saint-Denis pro-burqa, pro-halal à la cantine, et tutti quanti… je conclus en disant que nous ne sommes pas dupes face à leur rhétorique habile qui cache leur haine de l'Occident et des juifs. Ils sont les ennemis de la République, de la liberté d'expression et notamment de *Charlie Hebdo*, attaqué deux ans plus tôt, des juifs et des femmes qu'ils souhaitent enfermer. L'antenne se coupe et la journaliste me demande si j'étais informée de l'attentat chez *Charlie Hebdo*. Nous n'y croyons pas. Nous restons devant cet écran d'ordinateur, scotchées, à la recherche d'informations, avec l'espoir que ce ne soit qu'une tentative d'attentat. Non, ils ne pouvaient pas avoir réussi leur coup. Ils devaient échouer, nous devions vaincre. Il ne devait pas y avoir d'autres options, pas ici, pas en France, pas chez Marianne.

Tristesse et effroi ont été les sentiments qui ont accompagné les heures suivantes. Le soir même, avec quelques amis, nous nous sommes rendus au rassemblement spontané place de la République. Une fois arrivée, mes sentiments étaient assez partagés. Au pied de cette Marianne grandiose et déterminée, j'étais mal à l'aise. Pouvait-on vraiment la regarder dans les yeux, ce soir-là?

Comment pouvaient-ils être tous là à pleurer les victimes alors que certains disaient quelques mois plus tôt qu'ils allaient trop loin? Étaient-ils là pour se rassurer? J'ai attendu, j'ai observé, j'ai tendu l'oreille, espéré... mais rien, personne n'a cru bon d'entonner notre hymne, notre *Marseillaise*, crier nos valeurs « Liberté, Égalité, Fraternité, Laïcité. » Tout ça était tabou... La société de l'émotion était là – the place to be – en ce soir de drame national. Alors que la République était la cible des terroristes, voilà que ses symboles étaient cachés pour ne pas paraître extrémiste! Ces symboles que l'on a abandonnés au FN depuis de trop nombreuses années et desquels on n'ose plus se revendiquer. Le résultat de décennies de renoncements, de lâchetés, de médiocrité. Une guerre nous est déclarée et nous avons honte de nous-mêmes! Nous sommes attaqués et nous tendons l'autre joue : « Pas d'amalgame », « ce ne sont pas des attentats islamistes », « rien à voir avec l'islam », « attention à l'islamophobie », « c'est ghettoïsation », « l'apartheid »...

Chaque jour, je poursuis mon combat, depuis le 11 janvier, mais où êtes-vous partis? Que reste-t-il de cette belle union nationale, à part une statue taguée place de la République et quelques canettes de bières autour ? Votre mémoire est-elle si courte ? Les séquences médiatiques dominent-elles à ce point l'agenda de vos esprits et de vos blessures ?

Vous avez été Charlie, aujourd'hui poursuivez le combat avec Marianne. Pour sa survie, pour notre identité, pour notre liberté. Contre l'obscurantisme islamique qui veut sa mort. Contre la lâcheté qui fait son nid. Contre l'extrême droite qui l'instrumentalise pour mieux la détruire. La République est le privilège de tous, mère aimante et protectrice des plus faibles. Elle mérite des soldats. Si la revanche ne doit pas être un moteur, la dignité, elle, se doit d'être au rendez-vous des nouveaux hussards de la République. Le chemin sera long, les faux amis nombreux, il y aura des pièges à chaque instant, mais nous devons être aux côtés de Marianne pour que la République survive.

Marianne Trahie

Le mouvement #JeSuisCharlie était un mouvement de soutien à toutes les victimes des 7, 8 et 9 janvier. Un soulèvement de solidarité pour cette rédaction décimée par les frères Kouachi (Charb, Cabu, Wolinski, Tignous, Honoré, Mustapha Ourrad, Elsa Cayat, Frédéric Boisseau, Bernard Maris, Michel Renaud et Franck

Brinsolaro qui assurait la protection de Charb), pour Ahmed Merabet, policier exécuté à même le sol, de manière froide, à bout portant alors qu'il exhortait le terroriste à lui épargner la vie. Un mouvement de soutien aux forces de l'ordre qui ont payé le prix fort avec la perte de deux des leurs, dont la jeune Clarissa Jean-Philippe. Un refus de l'antisémitisme le plus violent qui a volé la vie de quatre hommes dans l'Hypercacher de la porte de Vincennes, Yohan Cohen, Philippe Braham, François-Michel Saada et Yoav Hattab. Alors, la France a marché. Je ne suis pas certaine que tous savaient véritablement pourquoi ils marchaient.

Au même moment, une autre France s'est refusée à défiler, allant jusqu'à excuser l'inexcusable. Refusant de condamner ceux qui ont arraché des vies pour un dessin, pour une religion différente. Le vendredi 8 janvier, j'étais sur le plateau du Grand Soir 3. J'ai senti le besoin de la société française de voir de nombreux Français de confession musulmane défiler, condamner sans ambiguïté ces actes terroristes, démontrer leur attachement à la République et à la laïcité telles qu'elles sont, sans condition, sans discussion.

La France avait besoin de voir sa composante musulmane l'accompagner dans cette épreuve, ce deuil national, ce défi à la fraternité que lui lançaient les islamistes. J'ai appelé les Français musulmans à défiler massivement car l'opinion publique en avait besoin. Un silence ou une absence de leur part auraient été interprétés comme un soutien à ces actes barbares. Je sais que dans les quartiers une partie des personnes profondément blessées n'ont pas pu exprimer leur soutien, tenues par la peur des représailles. L'omerta est une réalité dans ces territoires. Toutefois, tous les musulmans ne vivent pas dans les quartiers où le trafic et les racailles armées font la loi. Où étaient-ils, ceux-là ? Marianne a-t-elle été si ingrate avec eux pour ne pas mériter quelques minutes de leur dimanche ?

Après cet appel à manifester aux musulmans, j'ai été effrayée par la violence des réactions reçues sur les réseaux sociaux. Un flux interminable d'insultes, de menaces, de violence, d'appel à la haine. Cette France-là était Kouachi, elle était Coulibaly. Les élus clientélistes-différentialistes ont rapidement minimisé et convoqué la sacro-sainte théorie des dominants et des dominés. Leurs amis « les sociologues ès banlieues » ont immédiatement sorti leur novlangue et leurs « concepts » pour conclure par l'éternel « ce n'est pas leur faute, c'est la faute de la France, de la ghettoïsation »... Une conclusion prévisible qui n'empêche pas une certaine lassitude de m'envahir.

Nous voilà en 2015, dans une France où des enfants de la République tirent sur Marianne en pleine tête, et c'est elle, la victime agonisante, qui devient coupable. L'impunité des criminels vient de leurs origines ethniques et de leur confession. Celles-ci les protègent de la critique et les éloignent définitivement de la responsabilité. Ils sont musulmans, ils sont donc victimes. Ils sont « issus de quartiers sensibles », ils sont donc excusables pour tout, y compris le pire. Tout peut s'expliquer par un florilège de misérabilisme, de compréhension et de victimisation. Ils sont nés pauvres, ils sont orphelins, ils sont basanés… Cela suffit à les exonérer de leur responsabilité. Pourtant tous les orphelins des deux guerres mondiales ne sont pas devenus terroristes ou même délinquants…

Après seulement quelques jours de décence – « dans l'esprit du 11 janvier » – Marianne fut mise sur le banc des accusés. Au premier rang de ses procureurs, le Premier ministre. Il ose lâcher le mot d'« apartheid ». Effet garanti, comme à son habitude, il faut que ça claque, que ça résonne, et que ça fasse oublier le reste… Repris en boucle, inscrit dans les esprits, l'opprobre est jetée, Marianne est jetée en pâture… Apartheid, c'est un coup de poignard dans le dos, un crachat à la figure des victimes, une victoire pour les terroristes et leurs alliés les communautaristes islamistes.

Emmanuel Todd ou l'autoflagellation

Après toutes les larmes et tout le sang d'innocents versés, nous espérions que la société communautarisée, vers laquelle nous évoluons depuis plus de trente ans, disparaisse… On aurait pu penser que le choc des attentats allait ramener dans le débat public la question de la laïcité… On aurait pu penser que les questions de l'islam radical et du communautarisme musulman dans les quartiers populaires allaient être traitées ensemble et pour de bon… On aurait pu le penser, c'était le bon sens. On aurait pu s'attendre à un grand retour de la République et de ses valeurs. Mais c'était sans compter sur la lâcheté de certaines de nos élites intellectuelles, politiques et médiatiques. Plutôt que de se battre pour la laïcité, ils ont préféré créer un artefact, l'islamophobie, et inventer un faux problème : la nouvelle théorie du complot antimusulman, qu'ils ont qualifié, dans un registre sémantique assez pauvre, de « non à l'amalgame », d'« apartheid » et de « ghettoïsation ».

L'autoflagellation a atteint des sommets avec « nous n'avons pas su les accueillir », autoflagellation et condescendance qui nient toute capacité individuelle à ces personnes. Pour les belles âmes, les personnes issues de l'immigration sont des êtres incapables de se prendre en main, de décider de leur destin. Des personnes incapables de faire preuve de volonté et de responsabilité individuelle. Pour les belles âmes, comme Emmanuel Todd, ils doivent être pris en main par le collectif, par la solidarité, guidés tels de « bons sauvages ». Je refuse cette vision colonialiste. Les personnes issues de l'immigration, les musulmans comme les autres, sont tout autant pourvus d'intelligence. Beaucoup parviennent à avoir de beaux parcours forgés par leur travail et leur mérite. Pour les autres, ils ne peuvent s'en prendre qu'à eux-mêmes, ils sont responsables de leurs échecs car ils ont manqué de courage, d'obstination, de travail. Il n'y a pas de recette miracle quand on est de la France « d'en bas » et issu de l'immigration, il faut redoubler d'effort et de ténacité. La société ne peut pas tout et pourra de moins en moins. Il est inutile de leur mentir, le temps de l'État providence est révolu. La France généreuse offre tous les moyens à celui qui souhaite avancer. Ceux qui refusent de se donner la peine ne pourront s'en prendre qu'à eux-mêmes. Il n'y a pas de ghettoïsation de la part de la République, d'ailleurs nombreux sont ceux passés par ces quartiers difficiles et qui les ont quittés. Leur mobilité géographique a été rendue possible par leur propre volonté, leur travail et leur pragmatisme. Les populations musulmanes ne sont pas constituées d'êtres passifs, comme se plaisent à les considérer certains un tout, un bloc dans lequel ceux qui aspirent à une vie à la française, épris de liberté, devaient se dissoudre pour laisser la place aux ignares communautaristes qui ont déclaré la guerre à la République et à la laïcité. L'hystérie de certains musulmans lors des caricatures du Prophète n'exprime pourtant pas la pensée d'une majorité. Elles ont dérangé, elles étaient dans leur rôle. Elles n'ont pas plu, libre à celui qui ne souhaitait pas être offensé de détourner le regard car, en France, la liberté d'expression ne se saucissonne pas.

Todd souhaite s'ériger en défenseur de l'indigent musulman, lui refusant ainsi d'être traité en sujet libre, ayant la capacité de s'autodéterminer. Pour Monsieur Todd, le musulman est un sous-développé qui ne peut pas comprendre la laïcité, la République, la liberté. D'ailleurs, Emmanuel Todd ne voit pas le mal dans l'intégrisme religieux mais dans la laïcité : « La laïcité démente est une nouvelle religion qui constitue une vraie menace… »

Au lieu de nous unir à travers la République, il préfère diviser les Français à travers une cassure artificielle qui est l'islamophobie. Les quatre millions de personnes qui ont défilé lors du 11 janvier seraient, selon Todd, des islamophobes qui s'ignorent. En faisant cela, il valide un modèle de société communautarisée et multiculturelle.

Or, si la France est depuis toujours un pays multi-ethnique, elle n'est pas un pays multiculturel. Notre culture, qui est la somme de nos principes, de nos valeurs et de notre histoire, s'appelle la République et elle est unique et indivisible. Alors, oui, il faut cesser les amalgames de la pensée molle et de la lâcheté. Oui, il faut combattre chaque jour le racisme qui est incompatible avec notre République. Mais, non, il ne faut pas confondre racisme et islamophobie, car cet amalgame sera fatal à nos valeurs républicaines, au premier rang desquelles la laïcité… que certains rêvent de voir disparaître. L'intégrisme n'est pas chez les défenseurs de la laïcité, ils n'ont pas de sang sur les mains. L'intégrisme religieux, lui, en a.

Allons-nous rester encore longtemps les spectateurs passifs de la faillite républicaine ? Plus que jamais, nous avons le devoir de réveiller notre idéal et de faire vivre les valeurs de la République. Notre maison brûle… Marianne, reviens, avant que Marine n'arrive.

Marianne éduque

Les enfants s'ennuient à l'école, dit-on… Alors il faudrait adapter l'école à la société et ses évolutions… Quitte à ouvrir la porte à la bêtise pour accélérer la crétinisation des esprits. « C'est justement pour préserver ce qui est neuf et révolutionnaire dans chaque enfant que l'éducation doit être conservatrice, c'est-à-dire assurer "la continuité du monde" », disait Hannah Arendt dans *La crise de la culture*.

Des matières sont trop complexes. Alors il faut les supprimer. Baudelaire et Chateaubriand s'expriment dans un français désuet, inaccessible pour les enfants du peuple. Alors proposons-leur le slam de Grand Corps Malade et la prose de Booba… Mettons l'école au niveau des plus mauvais, refusons l'excellence pour ceux qui y aspirent, et interdisons-lui toute ambition pour ses enfants. Le français n'est pas ma langue maternelle et mes parents ne lisaient pas les grands auteurs le soir devant la cheminée, pourtant quel plaisir me saisissait chaque fois qu'un professeur nous proposait une escapade vers les grandes œuvres. Dans ma ville, les « immigrés » parlaient français avec les expressions de leur pays et un accent qui laissait deviner leurs origines, l'Italie, l'Afrique, le Maghreb, l'Asie, le Portugal... Un beau voyage autour de la terre, parfois mélangé à l'accent chti. Dans cet environnement, l'enfant du peuple, aux racines ancrées dans d'autres contrées, ne peut que se sentir reconnaissant d'accéder à la beauté et au plaisir qu'offrent les grands auteurs. Apprendre ces mots, les retourner, en jouer et les détourner... Chaque fois que l'on m'offrait le privilège d'accéder à cette culture, tout mon être était là, tourné vers le professeur, totalement à l'écoute et concentré. J'étais une éponge et j'avais soif de savoir. Je savais que ces moments seraient brefs. Lorsque la cloche retentissait, il fallait revenir à la réalité. Descendre du nuage et repartir dans un brouahaha de banalités, de vulgarités.

Une école low cost pour les enfants des quartiers populaires ?

Aujourd'hui quand j'entends la ministre de l'Éducation vanter les mérites de Jamel Debbouze et du stand-up pour les jeunes, je suis dépitée. Décidément, ils n'ont rien compris. Je me souviens de la révolte que je ressentais lorsqu'un professeur voulait nous faire étudier le texte d'un rappeur, au prétexte que cela serait plus accessible et maintiendrait notre attention. J'avais le sentiment qu'on me retirait quelque chose, qu'on m'interdisait une certaine forme d'élévation. Il me suffisait d'écouter Skyrock, mes camarades de classe ou de regarder MTV pour avoir accès à ce rappeur très en vue. Je ne voulais pas de ça à l'école. Je n'avais pas besoin que l'école m'en parle ou me décortique ces quelques rimes d'argot et de verlan. Je n'ai jamais aimé le rap, je n'aime pas son phrasé et son « côté gros bras »... mais quand même victime de la société. Dans le rap, ils sont les plus forts, ils « niquent » la police, mais ils ne comprennent pas pourquoi ils sont rejetés. « Weh gros » mérite-t-il vraiment d'être analysé en cours ? Définitivement, non. Autre exemple de la condescendance culturelle que la gauche porte aux enfants des banlieues... À la place de l'apprentissage des grands mouvements de la peinture et des peintres, des belles expositions, on propose « aux jeunes des quartiers » d'étudier « l'art du graff »... ces « œuvres » qui ajoutent de la laideur et de la dureté aux murs des quartiers populaires. Une petite fille me disait que « les graffitis, c'est comme les tatouages, c'est moche, mais la différence, c'est que le graffiti c'est moche même pour ceux qui n'ont rien suis écœurée par leur hypocrisie et leur mépris des moins bien nés. Comment peut-on promouvoir des programmes débilitants au nom de « l'égalité » tout en sachant pertinemment que cela n'augmentera pas les chances de réussite des élèves mais, au contraire, les réduira ? Croyez-vous que Booba et Jamel Debbouze soient au programme du concours d'entrée à HEC ou à l'ENA ? Évidemment, non, c'est la culture de « l'élite » qui est au programme de ces concours et c'est bien ainsi.

Bien sûr, les destructeurs du mérite et du travail ont proposé de détruire tout ce qui exige l'excellence. Les concours de la fonction publique sont difficiles, alors il faut les supprimer ou les adapter pour une certaine catégorie de la population, comme l'a proposé George Pau-Langevin, alors ministre déléguée chargée de la « Réussite éducative »… Quand on n'a pas de solution et quand on refuse de tenir un discours de bon sens et d'honnêteté aux plus faibles, eh bien la solution des lâches sera toujours de proposer de contourner la règle. Je m'y refuse car la dignité de ces personnes réside précisément dans leur capacité à accéder à ces concours sans passe-droit. Il en va aussi de leur crédibilité future. Je n'aime pas les arrangements, les accommodements, et les passe-droits car ils sont porteurs d'inéluctables dérives et d'une baisse générale du niveau.

La discrimination positive à l'école n'est rien d'autre qu'un néocolonialisme déguisé. Une forme de bonne action pour se donner bonne conscience, mais au fond ce n'est que l'expression de la condescendance dont la gauche a toujours fait preuve à l'égard des enfants de l'immigration. Le message est simple : la culture ce n'est pas pour vous car vous n'y comprendrez jamais rien, alors nous allons faire faire du rap, du foot et du graf à vos enfants. Pourtant, c'est bien la culture classique qui leur permettra d'amorcer leur marche vers la promotion sociale. J'ai toujours eu de la défiance et du rejet à l'égard de cette « offre culturelle » ciblée ethniquement et sociologiquement. Je préfère regarder vers le beau et connaître le beau de la culture française, car c'est là que s'exprime son génie.

Pour le retour d'une école sanctuarisée

L'Éducation nationale doit élever l'esprit, le former, l'ouvrir par la transmission des savoirs. C'est une vieille dame à laquelle l'enfant doit s'adapter. Elle doit être intransigeante car elle porte l'avenir de nos enfants et de la Nation. La culture française se trouve dans les grands auteurs, les peintres, les poètes, les grands hommes. C'est Verlaine, Mallarmé, Hugo,

Zola, Vian, Picasso, Van Gogh, Brassens et tant d'autres.

Croyez-vous qu'un enfant du peuple, un enfant d'ouvrier, un enfant de l'immigration aurait, seul, le réflexe d'aller à la découverte de ces chefs-d'œuvre ? Je ne le crois pas. Si personne ne vous accompagne vers le savoir, si personne ne vous guide dans les sentiers sinueux qui mènent à la connaissance, vous resterez là où vous êtes, dans votre condition. Pour ceux dont les parents ne sont pas instruits, dépourvus d'amis érudits, et à qui la chance a omis de mettre sur leur chemin la « belle rencontre » qui bouleverse une vie... la mère généreuse et aimante qu'est l'Éducation nationale doit répondre présent.

L'école publique est la mère de tous les enfants de la République, elle doit accompagner, guider, transmettre le patrimoine intellectuel, pour transcender la naissance, le milieu et permettre à chacun d'accéder au plus beau grâce à ses efforts et son mérite. C'est pour cela que l'école ne doit pas suivre l'évolution de la société. C'est pour ces raisons que je plaide pour une sanctuarisation de l'école. Une école hermétique aux pressions de tout ce qui se présente avec le masque arrogant de la sacro-sainte modernité. Formons les esprits sereinement, offrons-leur le meilleur, respectons les élèves en étant exigeant avec eux dans le dialogue et la distance que l'enfant doit avoir avec son professeur, représentant de l'autorité.

En décembre 1936, Jean Zay, ministre de l'Éducation et des Beaux-Arts du Front populaire, était très clair quant à la préservation de la sérénité du temps scolaire et de l'école. « Ceux qui voudraient troubler la sérénité n'ont pas leur place dans les écoles qui doivent rester l'asile inviolable où les querelles des hommes ne pénètrent pas », affirmait-il. Cette circulaire a été souvent ignorée et trahie. Jean Zay, résistant assassiné par la Milice, repose désormais au Panthéon, espérons qu'un jour on l'entende enfin.

Une école sanctuarisée est une école respectée, préservée des pressions du monde moderne, de sa course incessante à l'instant, à la jouissance par l'accumulation d'expériences éphémères et de richesses matérielles. Plus le temps s'accélère, plus l'information se diffuse en continu, plus je crois que les enfants ont le droit à une pause, un moment de respiration loin de la fureur du monde moderne. Cette parenthèse quotidienne doit se trouver à l'école, de la maternelle au lycée. C'est une forme de retraite du monde moderne qui permettra aux enfants, par l'étude, d'éveiller et d'aguerrir leur esprit critique. L'école doit devenir – ou plutôt redevenir – un lieu de savoir hermétique aux modes, aux tweets, aux tchats et autres réseaux sociaux qui limitent la profondeur de l'analyse et l'échange avec l'autre.

L'école numérique affaiblit les élèves

Le temps scolaire doit être un moment de respiration pour l'esprit des enfants. Leur oxygène doit être la culture et les savoirs.

Avec les nouvelles technologies c'est une génération hyper-connectée, incapable de concentration, accro aux selfies narcissiques et aux textos qui a émergé. Face à cette évolution – et toute évolution n'est pas synonyme de progrès – il me semble inopportun de supprimer le stylo et le cahier dans les écoles primaires. Former de jolies lettres, entendre glisser la plume, avoir le plaisir de souligner en rouge, sentir la main douloureuse après une longue matinée d'écriture, autant de sensations et de souvenirs que des générations d'enfants partagent et chérissent. Aujourd'hui, dans les écoles primaires, l'accent est mis sur le numérique, l'apprentissage se fait depuis des tablettes. Alors que les parents se battent pour que leurs enfants perdent leur addiction aux écrans et autres tablettes, l'école leur offre une tablette et un écran sur leur bureau. À la place du stylo, un clic. Le lourd dictionnaire aux centaines de pages qui invitent à la modestie, le dictionnaire qui impressionne et qui rappelle que l'on ne sait pas grand-chose, est remplacé par un clic direction Google, puis un autre clic direction Wikipédia. Les heures de recherche et de lecture pour préparer un exposé se réduisent à un clic « copier » et un clic « coller ». Travail instantané, vite fait, vite oublié. Dans l'école numérique, les élèves ne lisent plus les contenus mais se contentent des titres des chapitres. Ils se livrent à un exercice de puzzle, de compilation complètement stérile sur le plan de l'acquisition des savoirs.

À une telle vitesse, le cerveau ne mémorise que de manière éphémère. Je considère que ces évolutions nuisent aux élèves, surtout à ceux issus des familles les plus humbles. Notamment ceux dont les parents ont des horaires décalés, les mères célibataires et tous ceux qui ne maîtrisent pas le français. À ces enfants-là, personne ne prendra le temps d'expliquer l'importance de savoir écrire avec un stylo, le plaisir de finir sa journée avec quelques pages de lecture. Ces parents modestes, même quand ils en ont le temps, ont-ils conscience de l'importance de l'écriture ? Je n'en suis pas sûre. Ils ont confiance en l'école et suivent ses recommandations. L'école, ici, les trahit. Est-ce vraiment un progrès d'apprendre à nos enfants à cliquer alors que les tablettes sont construites de manière « intuitive » ? L'intuition suffit pour faire fonctionner ces machines, pas besoin de savoir particulier. Je m'amuse toujours en voyant de jeunes parents ébahis devant leur enfant de 2 ans qui sait prendre une photo avec un iPad ou déclencher la musique. Ils sont à deux doigts de décréter que leur enfant est un génie ! En l'occurrence, le génie est surtout chez Apple, qui a réussi à générer un sentiment de supériorité chez ses fidèles utilisateurs en rendant la navigation avec son système d'exploitation si accessible que même un très jeune enfant peut s'en servir en faisant appel simplement à ses intuitions. La pédagogie de la tablette, outre la mort programmée de l'écriture, est l'avènement d'une société d'handicapés du stylo et de la réflexion. Une société du clic et du like qui refuse les notions d'effort, de pénibilité et de sacrifice, qui sont pourtant indissociables de l'acquisition du savoir.

Le stylo rouge ne tue pas

Le contrôle et les notes existent depuis toujours. Ce système n'a jamais provoqué de chocs psychologiques d'envergure auprès des enfants, comme le prétendent quelques pédagogistes et psychologues convoqués par les ministres de l'Éducation nationale Peillon, Hamon et Vallaud-Belkacem. La loi sur la « refondation de l'école » prônait une « évaluation bienveillante », qui ne décourage pas. Autrement dit, un système de notation non chiffré jusqu'à la 6e... pour préserver les enfants de la cruauté d'un monde de compétition. Ainsi, on remplaçait la verticalité de la notation par un smiley, une couleur, un dessin et autre signes crétins pour les enfants. L'art de ne pas nommer les choses, propre à la gauche, s'exprimait désormais également dans sa vision de la pédagogie.

Les socialistes s'étaient fait les défenseurs de ce nouveau système qui devait rompre avec l'archaïque notation que l'on connaît tous. Ils allaient faire entrer l'école dans la modernité avec des smileys ! Révolutionnaire... Ce délire dura jusqu'aux attentats de janvier. En effet, l'après-Charlie a ramené sur terre les membres du gouvernement, les obligeant à enfin comprendre le manque dont souffre la société française, y compris dans ses écoles : de l'autorité, de la discipline et de la rigueur républicaine. La réforme de la notation fut mise au placard au grand dam des trente experts réunis au sein d'un jury sur l'évaluation des élèves. La grande messe des bobos pédagogistes était stoppée net... pour combien de temps ?

Les élèves doivent retrouver la fierté de l'effort accompli, la pugnacité, la satisfaction du résultat. Le contrôle va de pair avec l'apprentissage. Comment voulez-vous savoir si les élèves connaissent leur leçon sans procéder à un contrôle et à une notation ? Les notes ne sont pas des sanctions, elles sont une image à un moment donné de la qualité du travail de l'élève. Elles lui permettent de se comparer, de jauger son niveau dans le groupe, de connaître le niveau de travail supplémentaire qu'il doit fournir pour progresser, d'entrer dans la compétition avec les autres et vis-à-vis de lui-même. Compétition qu'il devra mener toute sa vie...

Avec les notes, on prépare les enfants à une certaine dureté du monde qu'ils ne pourront pas fuir. Commencer jeune, c'est leur donner plus de chance de s'en sortir. L'enfant préservé de toutes contraintes, de toutes difficultés matérielles se retrouve perdu et dépourvu de moyens de résistance lorsqu'il est jeté seul dans la vie réelle... Il est indispensable de les préparer à cette réalité, à la compétition féroce de l'accès aux filières d'excellence, puis d'un marché du travail toujours plus hostile aux faibles, aux jeunes (toujours trop jeunes), aux moins jeunes (rapidement trop vieux)... Cette préparation passe aussi par le contrôle et la notation. Prendre sur soi en cas d'échec, rebondir, travailler davantage pour revenir dans la course... ne pas décrocher... se dépasser... voilà l'état d'esprit que nous devons donner à nos enfants !

Pas d'angélisme, pas de mièvrerie, pas de condescendance. Les enfants d'aujourd'hui sont assez vite au fait de la réalité du monde. La télévision, internet, la pression du marché qui les poussent à être des mini-adultes avant l'âge, le chômage des parents, le divorce, les engagent toujours plus tôt vers la fin de l'innocence et des rêveries… Alors qu'ils subissent la dureté de la vie depuis leur naissance, croyez-vous réellement que ce sont quelques notes qui vont les briser? Pour les plus fragiles, cela peut être déstabilisant, mais il faudra les détecter et les soutenir, ce sera alors le rôle du professeur, des parents et du psychologue scolaire.

Redoubler est un nouveau départ, pas une punition

Le redoublement ne serait pas efficace car « humiliant » pour l'enfant et il provoquerait de la « détresse psychologique ». C'est possible si celui-ci est présenté comme un échec au lieu d'une chance. Celui qui redouble devra faire l'objet d'une attention particulière pour que cette année soit celle d'un nouveau départ. Je ne crois pas que lui permettre de passer en classe supérieure soit plus facile à vivre. Il se rendra compte de ses difficultés et de son incapacité à rattraper les lacunes accumulées. Laisser un enfant passer systématiquement en classe supérieure alors qu'il n'a pas le niveau requis, c'est lui mentir et le condamner à l'échec. Il faut lui laisser, le temps d'une année, la possibilité de véritablement se remettre à niveau. Qu'est-ce qu'une année, à l'échelle de la vie d'un homme?

Est-ce si grave d'obtenir son bac à 19 ans au lieu de 18 ? Son master à 25 ans au lieu de 23 ?

Aucun élève en difficulté ne doit être laissé de côté, des solutions doivent être trouvées pour l'aider à raccrocher le train sans que le professeur ne soit obligé de réduire la vitesse pour les autres passagers. C'est un monde redoutable dans lequel ils évolueront une fois adultes. Alors, faisons l'économie du mensonge ou de l'angélisme. Ce n'est pas la peine de leur raconter des histoires. Mes parents m'ont toujours dit que la vie était difficile, que les embûches étaient nombreuses. Qu'en étant née là-bas, je devrais faire mes preuves deux fois, dix fois plus que les autres, parfois même travailler davantage pour arriver au même résultat… Je n'avais pas le vocabulaire, l'aisance et le capital culturel de celui qui est bien né. Qu'importe ! Il n'y a pas plusieurs solutions pour y arriver. Seuls le travail et les heures passées derrière son bureau peuvent l'apporter. Je leur suis reconnaissante pour leur honnêteté. Ils ne m'ont pas bercée d'illusions. Alors, rendons service à ces enfants et préparons-les au mieux au grand saut vers l'autonomie, la responsabilité, à la vie telle qu'elle est aujourd'hui. Préparons-les, sans leur mentir, à la réalité du monde qui les attend : compétition mondialisée, réduction du nombre d'emplois et sélection par la performance.

Réformer l'école, moderniser l'école est une aventure collective qui engage la Nation dans son ensemble. Cela ne doit pas se décréter uniquement rue de Solférino, sans débat national, comme ce fut le cas avec la réforme des rythmes scolaires qui a été adoptée par décret, évitant ainsi le débat démocratique. Il en a été de même avec l'absurde et dangereuse réforme du collège, malgré les manifestations, les pétitions, et le « j'entends vos préoccupations » de la ministre de l'Éducation nationale. Sans scrupules, elle s'est moquée des représentants syndicaux en leur promettant de les recevoir le lundi et a annoncé la publication du décret d'application le mercredi matin, alors que les discussions avec les parties prenantes n'étaient pas terminées. Une méthode de gouvernance qui neutralise et méprise les représentants de la souveraineté nationale, le corps enseignant, les Français.

Le diktat de la pensée unique avait encore frappé. Pas de confrontation d'idées. D'illustres intellectuels, des académiciens tels que Pierre Nora, Alain Finkielkraut, Jean d'Ormesson, s'étaient mobilisés pour alerter l'opinion sur cette réforme. Ils ont pris la plume pour dénoncer sa dangerosité et exhorter la ministre à revoir sa copie. Mais face à eux, avec le plus grand dédain, la ministre Vallaud-Belkacem les a qualifiés de « pseudo-intellectuels » et a préféré les ignorer !

Le certificat d'études doit être remis en place d'urgence

En primaire, le rôle de l'école n'est pas d'être une garderie ou un centre de loisirs sous prétexte que les enfants s'ennuient. Nous sommes des générations à nous être ennuyés sur les bancs de l'école, toutes les matières ne nous passionnaient pas. Mais ce n'est pas une raison pour vider l'école primaire de son rôle. Lire, Ecrire, Compter, ce sont ces fondamentaux que l'école primaire doit transmettre. Or, aujourd'hui un tiers des élèves entre en 6e sans savoir lire ni écrire. Cela est inacceptable, comment peut-on laisser un enfant avancer chaque année de classe en classe sans que celui-ci soit en capacité de suivre le cours ? Un enfant qui entre en 6e sans savoir lire et écrire est un enfant condamné à l'échec. Il est à mon sens nécessaire de réinstaurer le certificat d'études à la fin du primaire, pour contrôler l'acquisition des fondamentaux par les élèves. Sans cela, toute autre réforme est superficielle. On pourra changer les programmes, les horaires, mettre de la capoeira à la place des dictées, si l'on ne procède pas à ce premier examen, les élèves en décrochage précoce seront perdus. Les écoles de la seconde chance, les filières passerelles, les CLIS (classes pour l'inclusion scolaire) n'y pourront rien. C'est l'école primaire qu'il faut réformer en profondeur, c'est à ce moment-là que se joue l'avenir de l'enfant. Un enfant qui entre au collège avec des difficultés est un enfant qui aura du mal à maintenir le cap et à avancer. Dès le primaire, offrons-lui une pause, pour reprendre les fondamentaux et avancer délesté de ses lacunes, même si cela doit l'amener à redoubler. En revanche, il faudra, par la suite, ne pas sanctionner ce redoublement en lui refusant les meilleures filières au collège…

La réforme du collège détruit l'ambition d'excellence pour tous et installe la médiocrité pour tous. Baisser le niveau et se mettre au niveau des moins bons, réduire les chances de ceux qui s'accrochent produira plus d'injustice sociale car ce seront ceux qui ont le plus de chance, de moyens, qui seront meilleurs encore. Cette réforme creusera le fossé entre les « deux France », en mettant en place une école à deux vitesses, celle de l'instruction face à la celle de la garderie. Sous prétexte d'égalité des chances, les socialistes creusent les inégalités. L'urgence est donc la réforme de l'école primaire. Il est inutile de permettre à des enfants d'entrer au collège s'ils ne sont pas en capacité de suivre les cours dispensés.

Il me semble donc indispensable de réinstaurer un examen à la fin du primaire afin de responsabiliser les enfants, de leur donner un objectif avant le passage chez « les grands » du collège. Le certificat d'études a une portée symbolique qui peut accompagner l'évolution de l'enfant avant son entrée au collège. Il a également un intérêt pédagogique car il permettra de s'assurer concrètement de la validation des acquis des élèves. Un enfant qui ne maîtrise pas la lecture avant le collège est un enfant condamné à l'échec. Il faut donc d'urgence réinstaurer le certificat d'études primaires, sans cela, tout le reste est superficiel. Transformons les obstacles en nouveaux points de départ. Croyons en l'école publique, gratuite et laïque et en sa capacité à briser les frontières sociales par le travail, l'effort et le mérite. Cessons avec cette Éducation nationale plus à l'écoute des pseudo-psychologues, pédagogues, et autres chrono-pédagogistes... Soyons plutôt du côté des enfants et de leur avenir.

Autorité et responsabilité parentale

Les parents les plus attentifs au devenir de leurs enfants font tout pour contourner la carte scolaire lorsqu'ils sont sectorisés dans une école où il y a beaucoup d'enfants issus de milieux modestes. Certains pensent qu'il s'agit sûrement de ségrégation sociale ou d'un réflexe raciste. Je ne suis pas d'accord. Il s'agit de pragmatisme. Il s'agit d'offrir le meilleur niveau, les meilleures conditions à ses enfants pour réussir. Les problèmes de niveau, notamment de maîtrise de la langue française, les problèmes de discipline dans les établissements de zones urbaines sensibles ou de quartiers populaires sont très importants. Pourquoi condamner son enfant à subir les mauvais comportements des autres quand on peut y échapper ? C'est naturel, alors ne culpabilisons pas ces parents.

Dans ces écoles, les professeurs passent une partie de leur temps à faire les gendarmes, à rappeler à l'ordre… sans résultat car les sanctions ne font plus peur. L'heure de cours se réduit comme peau de chagrin et c'est celui qui souhaite travailler qui est finalement pénalisé par la bêtise et la mauvaise éducation de ses camarades. Un ami qui enseigne dans un collège de Seine-Saint-Denis me rapportait qu'il s'était fait voler deux fois son téléphone portable durant ses heures de cours… La situation culturelle est telle que le fossé de langage est quasiment infranchissable. Le niveau de maîtrise de la langue a atteint un point effrayant, signe de déclin d'une société du laisser-aller. Pour se faire comprendre, il doit s'exprimer dans une langue simplifiée. Pourtant, respecter ses élèves, c'est au contraire leur tenir un langage de bon niveau, qui les tire vers le haut. Je méprise ceux qui pensent qu'il faut s'exprimer comme « les jeunes » pour être plus proche et se faire aimer d'eux. Je considère que les respecter, c'est d'abord s'adresser à leur intelligence et croire ainsi à leur capacité de progression. Comment enseigner la littérature quand des enfants n'ont pas le vocabulaire de base ? Épuisé après deux années dans cet établissement, cet ami enseignant voit aujourd'hui se multiplier les arrêts maladie et sombre doucement dans la dépression qui touche de plus en plus de professeurs. Voilà la réalité de l'école aujourd'hui.

Les professeurs qui enseignent dans les établissements en zone sensible devraient recevoir une prime de risque et de pénibilité. Je pense que ce sont les plus expérimentés qui doivent être choisis et non pas les jeunes, que l'on écœure et détourne définitivement de leur vocation. Il est dangereux d'envoyer ces jeunes professeurs tout juste sortis des bancs de la fac, sans expérience, démunis face à des ados rebelles et parfois violents. Il faut des professeurs mieux payés et plus expérimentés, il faut également une plus grande discipline et des symboles. L'autorité passe par des symboles et des rituels. Je suis favorable à ce qu'on réinstaure l'estrade dans les salles de cours, les rangs deux par deux dans les couloirs, le lever lorsqu'un adulte entre dans la classe et surtout l'uniforme du primaire au lycée. L'uniforme, c'est le costume du travail et de la discipline, c'est la distance entre l'élève et le professeur, c'est le symbole de l'égalité entre les élèves et la garantie pour les parents de ne pas avoir à se ruiner chaque semaine pour offrir le dernier T-shirt à la mode.

Je crois que la discipline et la peur de la sanction sont indispensables pour remettre sur la voie du travail et du respect ces élèves et leur famille. Ces sanctions doivent être, certes, disciplinaires mais, pour plus d'efficacité, elles doivent être financières car cela impliquerait davantage les parents. Étrangement, c'est seulement lorsque le portefeuille risque d'être touché, que certains parents se présentent aux convocations du directeur... Une famille dont les enfants ont un fort taux d'absentéisme et causent des troubles au sein de l'école doit voir ses allocations diminuées ou complètement supprimées. La surveillance doit être plus importante et les allocations moins systématiques. Si les parents sont débordés, alors il faudra qu'ils se signalent aux services compétents qui prendront en charge rapidement le jeune qui commence à se perdre. Il n'y a plus de tabou à avoir sur la question des allocations assujetties à des conditions de respect des règles et des devoirs de chaque parent et de chaque enfant au sein de l'école.

Il faut réinstaurer la notion de « contreparties » et arrêter avec la philosophie du « j'ai droit à ».

Aujourd'hui, de nombreuses personnes souhaiteraient que le « volet règlementaire » de la laïcité soit oublié, le considérant comme une lecture « punitive », « stigmatisante » et « visant toujours les mêmes ». Ils préfèreraient l'envisager exclusivement sous l'angle de la liberté de conscience, de la liberté de culte, de l'acceptation des différences et de la diversité. Cette vision douce et angélique serait acceptable dans une France où le respect de l'identité républicaine serait la norme, où la volonté d'appartenir à la Nation dominerait, où le désir de s'intégrer guiderait les choix des personnes, comme ce fut le cas avec les personnes issues de la première génération d'immigrés. Or, je considère que depuis vingt ans, la ligne rouge a été franchie. À pas feutrés, mais déterminés. Il est du devoir des Républicains de mettre un coup d'arrêt à la tolérance culpabilisante et au respect à sens unique. Le principe de laïcité défini par la loi du 9 décembre 1905 doit être renforcé par des lois qui délimitent concrètement le champ d'expression de l'appartenance religieuse, car la religion se vit pour soi, chez soi et ne doit pas se porter comme un étendard en place publique. L'année qui vient de s'écouler et les attaques de janvier ont permis de mettre davantage en lumière les attaques pernicieuses, incessantes des communautaristes soutenus par une gauche démissionnaire, en mal de voix et

44

d'une droite qui s'excuse d'être de droite pour faire « cool »...

Souvent, je suis en colère contre ces responsables politiques qui refusent de voir et de prendre le problème à bras-le-corps. Je leur en veux de sacrifier la République à des fins politiciennes ou simplement d'image. Je me console en me disant que les Français, eux, ont compris et qu'ils ne laisseront pas faire. Ils s'opposeront, mais pour combien de temps encore ? Combien de mois avant que l'émotion qui a suivi les tueries de janvier 2015 se dissipe et que leurs mémoires flanchent à nouveau ? Certains médias font appel à des trésors de complaisance, d'approches victimaires et niaises, comme Canal + et son « Grand Journal », dans lequel il n'y a pas une semaine qui passe sans qu'il n'y ait un sujet pour rappeler à quel point c'est normal d'être voilé et que ceux qui refusent le voile sont des réacs, des islamophobes, des xénophobes... Les médias ne reflètent plus l'opinion. Mais je veux y croire, je veux rester optimiste. Nous parviendrons à faire reculer cette gangrène de la République. Nous parviendrons à protéger nos enfants et, particulièrement, la liberté de nos filles. Partout les attaques se multiplient, des fronts s'ouvrent contre la laïcité, qui est pourtant la colonne fondatrice de notre République. Difficilement elle tient, mais combien de temps encore restera-t-elle debout ?

Le monde de la petite enfance, celui de l'école et de l'université sont des citadelles où la neutralité religieuse doit être la règle. La conscience citoyenne que l'on se forge à l'école ne doit pas être influencée par ce que l'on appelle aujourd'hui pudiquement le « fait religieux ». Le prosélytisme, indissociable des signes religieux ostentatoires, peut paraître superficiel, « exagéré » pour les belles âmes privilégiées des beaux quartiers, mais il devient pesant et oppressant pour ceux qui vivent au cœur des quartiers populaires.

Laïcité dans les crèches : encore une occasion ratée par la gauche

En mars 2015, à l'approche de sa discussion en séance à l'Assemblée nationale, la proposition, qui visait notamment à imposer la neutralité religieuse aux structures privées chargées de la petite enfance bénéficiant de subventions publiques, a été fortement critiquée dans les milieux religieux (jusque-là, rien d'étonnant) et par certains « laïcs »… Le porte-parole de la Conférence des évêques de France, Mgr Olivier Ribadeau-Dumas, s'est insurgé contre une extension de la neutralité religieuse à l'espace public qui « n'est pas du tout dans l'esprit de la loi de 1905 ». Jean-Louis Bianco, ancien

ministre socialiste président de l'Observatoire
de la laïcité, qui ne perd jamais une occasion
pour déclarer que « la France n'a pas de problème avec sa laïcité » ou qu'il « n'y a pas de
crise de la laïcité », voyait dans cette proposition « un énorme danger pour la cohésion
même du pays »... rejoignant ainsi les militants
communautaristes et antilaïcité du Collectif
contre l'islamophobie en France (CCIF), qui
fustigeaient une loi « résolument anticonstitu-
tionnelle, liberticide et discriminatoire ».

Flairant un dossier qui allait à l'encontre de
leurs intérêts électoraux, les députés socialistes
ont d'abord obtenu de leurs collègues PRG de
repousser le débat du texte en mai, après les
élections départementales. Pourquoi prendre
ses responsabilités et être de dignes représentants de la Nation quand on peut se contenter
de petits arrangements ?... Ainsi, le rapporteur
du texte Alain Tourret (PS) a accepté, après
une réunion (mise sous pression ?) avec des
représentants du groupe socialiste et du ministère de l'Intérieur, de proposer en séance, le
13 mai, la suppression des points les plus contes-
tés, ceux qui faisaient de ce texte une avancée
renforçant la loi de 1905, qui imposaient une
obligation de neutralité religieuse, lorsqu'elles
bénéficient d'un financement public, à toutes
les crèches privées (sauf si elles ont un caractère confessionnel affiché), ainsi qu'à toutes

les us et coutumes de la France s'il n'y a plus rien de français autour de vous? C'est cette inquiétude qu'ont voulu exprimer les mères du quartier difficile du Petit Bard-Pergola de Montpellier. Elles ont manifesté pendant deux mois pour réclamer plus de mixité sociale certes, mais avant tout ethnique. « Il y a un manque de mixité ethnique », expliquait une mère d'élève le 17 mai 2015 lors de la manifestation où elles avaient décidé de bloquer le tramway pour se faire entendre. Avec la nouvelle carte scolaire, l'école de leurs enfants ne compterait plus de « petits Blancs », « de Français ». Ces mères ont connu la mixité ethnique, leurs enfants ne la connaîtront pas... Encore une chance de plus que les apôtres de l'égalitarisme nivelant retirent aux enfants des milieux modestes. Manuel Valls, qui pourtant n'avait que les mots « ghettoïsation » et « apartheid » à la bouche en ce début d'année 2015, n'a jamais réagi sur ce dossier. Des mots, rien que des mots, monsieur le Premier ministre!... et pendant ce temps les enfants trinquent et la cohésion nationale nous échappe toujours un peu plus.

Après l'émotion, les images de ces mères m'ont troublé. Ces militantes de la « mixité ethnique » (on en est quand même arrivé là, en France!) et de l'intégration pour leur enfants... ne portaient elles-mêmes aucun signe d'intégration. Leur image contrastait fortement avec leur discours. Elles œuvraient pour que leurs enfants connaissent des « petits Français » et le mode de vie français, mais elles n'avaient nullement intégré celui-ci. Pourtant, ils ne s'agissaient pas d'anciennes, de dames d'un certain âge à qui l'on peut trouver des excuses. Il s'agissait majoritairement de jeunes mères qui sont nées et qui ont grandi en France. Elles ont fait le choix du repli identitaire en cultivant le mode de vie de leurs pays d'origine, en parlant la langue du pays d'origine de leurs parents, en portant les vêtements religieux, même pour se rendre à l'école de leurs enfants… Elles signifient ainsi un choix clair de non-intégration. Ce choix ne les empêche toutefois pas de réclamer de la mixité ethnique…

L'exil des familles des « petits Français » est à mon sens également la conséquence de ces comportements communautaristes qui font que ces familles ne se sentent plus à l'aise dans ce qui était aussi leur quartier. Comment en vouloir à celui qui décide de quitter un quartier pour retrouver ailleurs quelques repères culturels, un petit bout de France. Je crois que ces mères ont une part de schizophrénie ou d'aveuglement. Peut-être n'ont-elles pas compris que c'est aussi à cause de leur entre-soi, de leur repli communautaire que leurs enfants ne connaîtront pas d'autres « petits Français » dans leurs écoles. La revendication des origines, le port de tenues qui affichent clairement les origines et la prééminence de celles-ci sur le reste, créent les conditions du repli et de la fuite de ceux qui n'en sont pas.

Les premières générations n'avaient pas ces comportements vindicatifs, elles aspiraient à s'intégrer, à vivre à la française. C'est grâce à cette intelligence, à cette capacité d'adaptation que ces mêmes mères, elles, ont connu la mixité dans leur école. Mais la nouvelle génération « issue de… » refuse de poursuivre le chemin entamé par leurs parents vers la communauté nationale. Elle préfère revendiquer une sacro-sainte « différence », se balader en djellaba, voile et parler presque exclusivement arabe… voilà comment, par leur comportement, elles condamnent leurs enfants à n'avoir d'horizon que la communauté et le ghetto.

J'aurais aimé les voir manifester en disant : nous sommes prêtes à modifier nos habitudes, à faire un effort pour que la fraternité puisse pleinement prendre corps, à respecter le mode de vie à la française que nous souhaitons que nos enfants connaissent. J'aurais aimé les voir habillées à la mode d'aujourd'hui, démontrer ainsi que le corps de la femme n'est pas un objet sexuel qu'il faudrait camoufler sous des mètres de tissu sombre pour épargner quelques hommes à l'esprit rempli de frustrations sexuelles et aux pulsions mal contrôlées. J'aurais aimé les voir tête nue démontrant que leurs cheveux n'incarnent pas la tentation, le péché, qu'elles sont dignes et croyantes sans artifices. J'aurais aimé voir cette rébellion au nom de l'amour de leurs enfants, de l'avenir de la France. C'était le moment de prouver qu'elles feraient un pas vers la France et la République, comme leurs enfants devront le faire.

Il n'en fut rien car, au fond, il s'agissait de réclamer encore ces fameux « droits ». Ce « droit » à avoir quelques « Français » dans cette école, que leurs enfants pourraient étudier tels des cobayes. Elles ont fait le choix de ne rien céder sur les symboles de leur mode de vie qui sont pourtant parfois la source de l'exil interne des « petits Blancs » des quartiers. L'un des maux de la France est peut-être que le mot *droits* est le seul qui soit connu, accepté, répété jusqu'à l'indigestion. Pourtant, il ne peut y avoir de droits sans *responsabilité*. Un terme que l'on ne peut prononcer sans passer pour un « réac »… Car, pour certains esprits, il y a ceux capables de responsabilité et les autres, dont il ne faudrait rien exiger car forcément irresponsables ? De l'art du mépris…

La fin des menus de substitution, le retour du bon sens républicain

L'école et sa cantine font partie des espaces publics et sociaux qui doivent connaître une certaine neutralité et imperméabilité aux revendications religieuses. À première vue, la décision de mettre fin aux menus de substitution dans les cantines peut paraître choquante car elle donne l'impression que les enfants de confession musulmane ou juive ne pourront pas manger à tous les repas du fait de leur confession. Rappelons quand même, encore une fois, que le rôle premier de l'école publique est d'instruire et non pas de faire des menus halal ou autres… s'adaptant ainsi aux exigences religieuses de chacun. L'école est un sanctuaire républicain, lorsqu'on passe le pas de sa porte, il n'y a plus de religion, les particularismes des uns et des autres doivent être oubliés pour laisser la place à l'égalité et la fraternité.

Pendant longtemps, des menus de substitution ont été proposés dans les cantines, cela n'était pas un droit, c'était un « accommodement raisonnable », un arrangement, une « tolérance ». Pourtant, dans certaines communes, chaque jour des centaines de kilos de viande sont jetées à la poubelle car bœuf et agneau restent dans les assiettes des enfants auxquels les parents interdisent de manger des viandes

non confessionnelles. De nombreuses muni-
cipalités connaissent cette gabegie intolérable
en période de grande difficulté pour bien des
familles qui peinent à remplir leurs caddies et
à manger correctement.

Il n'y a aucune cantine en France qui serve du
porc tous les jours. De toute façon, un enfant
qui mange de la viande confessionnelle ne man-
gera que les pâtes et les légumes, laissant dans
son assiette la viande qui ira directement à la
poubelle. Une fois ce constat fait, dès lors que
le refus des enfants de manger même la viande
non porcine est constaté, il n'y a plus aucun
intérêt à servir des menus de substitution... Sauf
à considérer que jeter 300 kilos de viande par
jour, comme cela été dénoncé par le maire de
Perpignan Jean-Marc Pujol, est acceptable au
nom des « accommodements raisonnables ».

Le menu végétarien a été suggéré comme
piste d'apaisement au « nom de la laïcité ».
C'est un très mauvais choix qui a pourtant été
adopté par certains édiles. Ils ont décidé de cou-
per court à tout problème en servant à tous les
enfants ces menus sans viande. Je regrette cette
décision car elle prive l'ensemble des enfants
de viande, porteuse de protéines, pour satisfaire
aux revendications religieuses de quelques-uns.
Le choix du menu végétarien est une fausse
bonne idée, c'est un très mauvais symbole qui
démontre que la République cède encore aux

minorités réclamantes et privent la majorité. C'est le nivellement par le bas au nom d'une minorité d'ultra-pratiquants incapables de garder leur foi à la maison et voulant que tout s'adapte à eux au nom de leur « foi ».

Les revendications alimentaires dans les cantines, lors des goûters d'anniversaire, dans les classes où il ne faut plus apporter de bonbons Haribo susceptibles de contenir de la gélatine de porc... se multiplient et sont révélatrices de la crise de l'intégration que connaît la France. La politique d'intégration de ces trente dernières années a été un échec car la France a été un pays de droits et jamais de devoirs, un pays qui s'adapte aux derniers venus et n'exige rien d'eux.

À cet égard, la fin des menus de substitution signifie le retour du bon sens républicain. Il ne faut pas caricaturer cette décision et faire ainsi le jeu des communautaristes. Au contraire, il faut la soutenir car elle révèle la volonté de réaffirmer l'égalité à l'école et de retrouver une laïcité qui a du sens. Il s'agit de redonner de la force aux principes qui régissent l'école publique et de cesser de s'adapter à tous les mouvements de la société. Elle renvoie un message d'autorité aux élèves et à leurs parents : c'est à vous de vous adapter à l'école et non l'inverse. Plus encore lorsque cela touche à une revendication religieuse puisque les contraintes alimentaires de nature religieuse de l'élève ne concernent pas l'école. Clemenceau disait : « Toute tolérance devient à la longue un droit acquis… » Il me semble donc important de rappeler que la cantine est un service public facultatif, que le menu de substitution n'est pas un droit acquis et que l'obligation alimentaire relève des familles.

Si certains parents veulent une éducation religieuse pour leurs enfants, il existe des écoles privées confessionnelles pour cela. Ce qui est choquant dans cette histoire, ce n'est pas la décision du maire de Chalon-sur-Saône mais l'abandon du principe de laïcité depuis plus de trente ans. La pratique du menu de substitution était une exception, voire une entorse au principe de laïcité. En aucun cas, cela ne constitue un droit. À l'école de la République, l'égalité doit être parfaite entre les élèves, jusque dans les assiettes.

L'affaire de la jupe longue : un symptôme et non une anecdote

Au mois de mars 2015, on vit naître une énième provocation à la laïcité, ayant pour ambition de ridiculiser ce principe et offrant un sujet facile pour exciter le landerneau médiatique. Un collège de Charleville-Mézières, dans les Ardennes, a pris la décision d'interdire deux fois à une de ses élèves de confession musulmane d'entrer dans l'établissement à cause d'une jupe longue, assimilée à un « signe d'appartenance religieuse ». Beaucoup se sont agités pour dire que cela était – forcément – dérisoire, ridicule, symptomatique de la rigidité laïque en France... remettant immédiatement en cause la capacité de discernement des fonctionnaires de l'Éducation nationale... allant parfois jusqu'à dire que cette décision était raciste, islamophobe.

Sur les réseaux sociaux, beaucoup ont soutenu cette jeune fille. Des montages photo comparant les jupes et robes longues de certaines femmes politiques ou actrices à celle de la jeune fille prétendaient démontrer que les musulmanes pauvres étaient opprimées, harcelées mais que les autres pouvaient porter ces mêmes jupes sans connaître de difficultés. Leur volonté était d'insuffler un peu de lutte des classes avec, en opprimés, les « musulmans » et, en « oppresseurs », la France blanche laïque. Évidemment, la jeune fille était un personnage idéal pour défendre cette thèse car, avec ce visage si doux de petite adolescente pieuse, pudique et si sage, personne ne pourrait la remettre en question. Cette petite voulait simplement aller à l'école avec sa jupe à la mode mais les méchants Blancs dominateurs laïcs de l'Éducation nationale ont préféré la discriminer et l'empêcher d'accéder au temple du savoir... Jolie histoire. Les communautaristes utilisent toujours les mêmes grosses ficelles pour attaquer la laïcité. Ils aiment mettre en avant des femmes, lorsqu'ils parlent d'actes islamophobes. Il s'agit toujours de jeunes mères, de jeunes femmes, maintenant de converties et d'adolescentes. C'est connu, on aura plus d'empathie envers elles et on se laissera berner plus facilement.

Cette jeune fille a essayé de rentrer plusieurs fois avec ses camarades voilées... Elle n'a pas pu, elle est passée à la jupe noire pour imposer un rapport de force aux enseignants. Elle l'a reconnu elle-même. Vous ne voulez pas de mon voile qui me démarque de mes camarades et signifie mon appartenance religieuse... Eh bien, je porterai une jupe longue qui enverra le même message en rappelant la djellaba. Vous ne cédez pas, je ne céderai pas. C'est exactement ce qu'a voulu dire cette jeune fille à ses professeurs et à la direction de l'établissement. Elle n'était victime de rien, si ce n'est d'elle-même et de son prosélytisme religieux... qui lui est sans doute imposé par sa famille, vu la réaction de son père. Des parents qui ont mis du temps à rappeler à l'ordre leur fille et à lui demander de se plier à la loi de la République et à l'autorité de la direction de l'établissement.

L'équipe pédagogique de cet établissement scolaire a fait preuve de discernement. C'est ce qu'on attendait d'elle et ce qui lui était demandé par la circulaire du 18 mai 2004. Ils dans des conditions extrêmement difficiles, les premiers garants de l'esprit républicain laïc.

En cas d'excès de pouvoir, les juges sont là… mais, en aucun cas, la pression de la rue et d'associations communautaristes relayées par les médias ne doit entraver ou, pire, se substituer à l'action de l'État et de ses représentants. Ne pas respecter cela, c'est tomber dans le populisme, le pouvoir de la rue et donc, dans une certaine mesure, dans le fascisme. Dans le chantage que cette jeune fille, aidée par des associations communautaristes, avait essayé de mettre en place, elle avait argué que refuser sa jupe, c'était l'exclure de l'école publique. Ce chantage, nous l'avons déjà expérimenté, notamment en 1994, après la publication de la circulaire « Bayrou » qui fait la différence entre symboles religieux « discrets », autorisés en classe, et « ostentatoires », qui doivent être interdits. Après cette circulaire, il y avait eu de nombreuses manifestations d'élèves devant certains lycées en faveur de la liberté de porter le voile en classe. Certains directeurs d'établissement avaient décidé de l'expulsion de jeunes filles qui voulaient le porter. Elles avaient crié à la discrimination, au racisme, selon elles on leur retirait le droit de s'instruire. Je crois que si l'on tient véritablement à aller à l'école et à s'instruire, on doit respecter les règles, l'autorité et s'adapter. L'histoire se répète donc et nous ne devons jamais céder sur les acquis de la liberté. Ce n'est pas à l'école de la République de plier face aux revendications religieuses.

La formulation du débat sur la jupe longue est caricaturale et n'a qu'un seul objectif : minorer les atteintes régulières à la laïcité aujourd'hui en France. Un journaliste m'avait demandé, un brin moqueur, si, la prochaine fois, les proviseurs allaient interdire les cols roulés ou les sacs noirs. Il était tombé dans le piège des ennemis de la laïcité. En caricaturant le débat sur la laïcité autour de la jupe trop longue, on fait le jeu des communautaristes.

Pour une fois, j'étais d'accord avec la ministre de l'Éducation nationale, Najat Vallaud-Belkacem, qui avait soutenu la décision de l'équipe de l'établissement scolaire, contrairement à de nombreux élus qui s'étaient offusqués de cette décision. En revanche, Najat Vallaud-Belkacem doit gagner en cohérence avec les mères voilées qui accompagnent les enfants lors des sorties scolaires. Mettre fin à l'interdiction faite aux mères voilées d'accompagner les enfants pendant les sorties scolaires, c'est accepter de mettre du religieux à l'école dès le plus jeune âge et accepter de heurter les convictions des autres qui ne partagent pas cette confession ou n'ont pas de confession du tout. C'est également accepter de familiariser les enfants à la présence de signes religieux durant le temps scolaire. Comment voulez-vous que, demain, ces mêmes enfants puissent défendre la laïcité si, depuis leur plus jeune âge, l'État les a fait baigner dans le relativisme culturel et le retour du religieux, y compris à l'école ?

Les décisions présentes commandent l'avenir. Il en est de même pour nos enfants et la construction de leur esprit de citoyen éclairé, de républicain convaincu. Il sera difficile de faire des adultes pourvus de convictions républicaines si l'on atténue la force du principe de laïcité en cédant tout au religieux, y compris aux signes prosélytes et ce, dès l'école. Par ailleurs, comment l'ex-ministre des Droits des femmes, pasionaria de la « théorie du genre », de « l'abc de l'égalité » pour plus d'égalité « femmes-hommes » dès l'école… peut-elle se mobiliser pour restaurer le voile, symbole de la soumission des femmes aux hommes, de leur infériorité, lors des sorties scolaires ? Sauf à considérer que l'égalité femmes-hommes, ce n'est pas pour tout le monde… au nom du respect des « cultures de chacun » !

Lycée Averroès : la République en option ?

Certains me diront que cette mesure encouragera les parents à aller vers les établissements confessionnels privés et qu'en cela c'est contre-productif. Je crois qu'il faut être insensible à ce type d'argument et rester cohérent. Si l'école a une règle, il faut s'y conformer, si elle ne convient pas, libre à ceux qui n'y adhèrent pas de trouver d'autres solutions, l'école confessionnelle peut être une de celles-ci. Je suis très réservée sur la multiplication des établissements confessionnels musulmans. Les belles âmes aiment les promouvoir en rappelant que le taux de réussite au baccalauréat y avoisine les 100 %... et que ces élèves seraient des « cerveaux » très doués. C'est ce qui se dit régulièrement du lycée Averroès de Lille, tenu par des proches de l'Union des Organisations islamiques de France, dont l'un des fondateurs, président du conseil d'administration, est Amar Lasfar, président de l'UOIF. Ce même Amar Lasfar avait osé, dans l'émission « Bibliothèque Médicis » de Jean-Pierre Elkabbach, à laquelle je participais, dire que la France n'avait rien compris à la laïcité car les filles devaient pouvoir aller voilées à l'école publique si la loi de 1905 était respectée. Ce même personnage en 2013 avait invité Salah Sultan à la rencontre annuelle des musulmans du Nord, organisée à Lille, à laquelle se rend Martine Aubry chaque année... Salah Sultan, responsable religieux égyptien, président du Conseil islamique d'Égypte, avait en janvier 2012 déclaré sur une chaîne de télévision égyptienne :

Dans ce lycée, la majorité des jeunes filles sont voilées, l'égalité homme-femme est donc en option. La mixité également, car les filles s'assoient rarement à côté des garçons... on ne sait jamais... Ce type de comportement n'existe pas dans les établissement privés catholiques où filles et garçons sont égaux. D'autres éléments sont plus inquiétants encore, comme les avaient dénoncés Soufiane Zitouni, enseignant démissionnaire dans une tribune publiée par *Libération* le 5 février 2015. Après les attentats contre *Charlie Hebdo*, cet enseignant d'origine algérienne avait publié le 15 janvier un « rebonds » dans le même journal intitulé « Aujourd'hui, le Prophète est aussi Charlie ». Il considérait que c'était de son devoir de prendre la plume pour dénoncer ces attentats, en tant que « citoyen français de culture islamique ».

Bien mal lui en a pris car ses collègues ont plutôt vu cela d'un très mauvais œil. Certains crièrent au sacrilège ! L'un d'eux publia quelques jours plus tard une tribune sur le site de *L'Obs* dans laquelle il écrivait que *Charlie Hebdo* « cultive l'abject » et « concourt chaque jour à la banalisation des actes racistes » ! Voilà ce qu'un représentant de cet établissement sous contrat avec l'État, bénéficiant d'un financement provenant des impôts de l'ensemble des Français, pense d'un journal qui venait de perdre la moitié de sa rédaction lâchement assassinée par des terroristes islamistes. Cette personne est évidemment en contact avec les élèves et a une influence importante sur leur vision des événements. Il est évident que, dans ces conditions, ce n'est pas la condamnation, ni la concorde nationale qui prévaut mais bien la justification voire le soutien à ces actes ignobles. Soufiane Zitouni s'est ainsi retrouvé isolé, des élèves lui ont reproché son « blasphème » car il avait intitulé sa tribune « Le Prophète est aussi Charlie », d'autres de « lécher les pieds des ennemis de l'islam »... Avec un tel nom d'établissement, on pourrait imaginer que des livres du philosophe andalou se trouveraient sur les étagères de la bibliothèque du lycée. Il n'en est rien, à la place, d'après Soufiane Zitouni, on y trouve les ouvrages des petits-fils du fondateur des Frères musulmans... Hani Ramadan qui, dans une tribune publiée dans *Le Monde* en 2002, justifiait la lapidation d'une femme car elle « constitue une punition divine, mais aussi une forme de purification » et considérait que le sida était une punition divine... et Tariq Ramadan, le fondamentaliste au double discours qui, en cosignant un livre avec Edgar Morin, tente de redevenir fréquentable.

L'enseignant Soufiane Zitouni rapporte également sa stupeur face à l'antisémitisme des élèves, il cite une de ses élèves de terminale littéraire qui soutenait que « la race juive est une race maudite par Allah! Beaucoup de savants de l'islam le disent! ». L'esprit d'Averroès est bien loin des esprits gangrénés de ce lycée proche des Frères musulmans. Le philosophe Averroès est la « marque », « l'alibi » qu'ils donnent pour prouver leur ouverture; derrière, c'est bien le cancer des Frères musulmans qui œuvre pour faire prospérer l'islam politique en France, en formant une nouvelle génération prête à utiliser tous les moyens démocratiques et citoyens qu'offre la République pour mieux la faire plier. Voilà ce qu'est le véritable visage de ce lycée musulman « exemple en la matière », « avec des taux de réussite au bac exceptionnels! », « un lycée d'excellence! »… La République est devenue folle: avec de l'argent public, elle soutient ses propres ennemis, ceux qui gangrènent l'esprit d'enfants nés en France en les faisant grandir dans la ségrégation homme-femme, le rejet de la culture française, le culte du communautarisme, de l'islam politique, la haine du juif et de la République. Vont-ils poursuivre encore longtemps leur bienveillante collaboration?

La laïcité ne doit pas s'arrêter aux portes de l'Université

L'évolution à l'université n'est guère plus réjouissante pour toute personne attachée à la liberté et à la dignité humaine. Le recul sur la laïcité et l'attachement à l'émancipation des jeunes femmes est effrayant. Alors que nos mères se battaient hier pour grappiller un millimètre de liberté et d'autonomie, les plus jeunes revendiquent leur emprisonnement au nom de la « pureté » et de leur « liberté de conscience ». Comment y voir autre chose que la diffusion du syndrome de Stockholm auprès de la génération télé-réalité ? Je suis toujours stupéfaite devant une jeune femme qui m'explique que le jilbeb est une libération. Cette tenue, symbole de l'appartenance à la mouvance la plus rigoriste de l'islam, est la nouvelle tenue à la mode. Elle recouvre tout le corps et laisse uniquement apparaître les sourcils (mais pas toujours), les yeux, le nez, une partie des joues, la bouche et une partie du menton. Comme la burqa, le jilbeb exprime le rejet du corps de la femme, le refus de sa visibilité dans l'espace public. Il dit que les femmes ne sont tolérées en dehors du domicile qu'entièrement recouvertes, telles des chauves-souris qui se glissent dans la nuit et rasent les murs. Le corps de la femme serait donc un péché, une provocation à laquelle les hommes ne peuvent résister. Ainsi, une simple main doit être gantée de noir, la vue d'une cheville est indécente et une mèche de cheveux serait l'expression du diable...

Au-delà de la dimension rétrograde pour la femme de ce vêtement, le jilbeb est surtout une provocation ahurissante à l'égard des lois de la République car ce vêtement ne peut pas faire l'objet de contravention, comme c'est le cas avec la burqa. L'astuce est là ! Le jilbeb n'entre pas dans la catégorie des tenues qui dissimulent le visage et ne contrevient donc pas à l'ordre public. Ce nouveau vêtement ne désigne pas des « musulmans » mais des intégristes. Par le port de ce jilbeb, ces femmes disent leur attachement au salafisme et leur refus clair et sans détour du mode de vie français. Le jilbeb ne dissimule pas tout le visage, mais il ne concède que le minimum de visibilité au visage de la femme.

Voilà une belle illustration de la manière dont les islamistes aiment défier et ridiculiser les lois françaises. La loi de 2010 était une bonne mesure mais, encore une fois, la peur de braquer ou de « stigmatiser » a poussé les législateurs à faire une loi qui évite le mot devenu tabou de *laïcité*. Ce n'est pas au nom de la laïcité que cette loi a été faite, mais au nom de la sécurité. Elle interdit à toute personne de dissimuler son visage dans les « lieux ouverts au public ou affectés à un service public ». Ainsi sont concernés la rue, les plages, les jardins publics, les transports en commun, les hôpitaux, etc.

Malheureusement, il suffit de se promener dans certains territoires pour constater que cette loi n'est absolument pas respectée et que ces prisons à ciel ouvert circulent librement sans être inquiétées. Évidemment, à l'époque des débats, à l'exception de Manuel Valls, les socialistes, indignes « héritiers » de Jaurès et Ferry, s'étaient opposés à cette loi, qui avait pourtant vocation à protéger les femmes et la laïcité... Qu'importe, la loi est passée et cela doit être considéré comme un premier pas. Les premières années d'application ont été extrêmement tendues. Incidents, manifestations, agressions... Rappelons-nous les émeutes de Trappes suite à un simple contrôle de police, les incidents de Roubaix, Marseille, Nice et tant d'autres... où ces femmes proclamaient ne « reconnaître que les lois de Allah ! » Du courage, mesdames ! De la cohérence ! Qu'attendez-vous pour quitter la France et aller vivre dans un pays régi par la charia ?

Les associations « anti-islamophobie » se sont empressées de faire passer ces multiples refus de l'ordre et de l'autorité républicaine pour de « l'is-la-mo-pho-bie ». Dans les faits, très peu de femmes ont été poursuivies et condamnées. Rachid Nekkaz, toujours prêt à faire le buzz, s'est immédiatement saisi de l'occasion pour ridiculiser cette loi dépourvue de force coercitive. « L'homme qui paie les amendes des femmes en niqab » court à travers la France et la Belgique, où une loi similaire existe, et paie les amendes de ces femmes chauves-souris, « au nom de leur liberté ». C'est stupéfiant de faire appel à la liberté pour défendre l'enfermement.

Un professeur de l'université Paris XIII a refusé de faire cours devant une étudiante voilée. Le président de l'université a décidé de le renvoyer. Ce professeur de droit était avocat, il avait lui-même été étudiant à Paris XIII, y enseignait depuis de nombreuses années et connaissait l'État de droit. En l'espèce il n'est pas interdit, aujourd'hui en France, de porter le voile à l'université. En effet, la loi de 2004 ne concerne pas l'enseignement supérieur et c'est pour cela que je plaide pour élargir son périmètre. C'est la responsabilité de la République de protéger tous ses enfants et ses professeurs ! La République doit être du côté des professeurs de l'enseignement supérieur qui se retrouvent seuls et isolés lorsqu'ils défendent nos valeurs fondamentales. La laïcité ne doit pas s'arrêter aux portes de l'université. Tout comme l'école publique, l'université publique doit être sanctuarisée et la neutralité doit s'imposer.

Les poussées fondamentalistes, à tous les niveaux de la société, se font de plus en plus fortes. La République tient encore mais il devient véritablement urgent de la renforcer. La République doit être courageuse et cohérente. C'est la laïcité qui est toujours attaquée, ce pilier est la cible principale et continue des fondamentalistes. Car c'est elle qui nous permet de rendre possible une communauté de destin, de tendre vers la réalisation de l'idéal républicain et de concrétiser, malgré la nature humaine, la fraternité. La laïcité doit s'appliquer aujourd'hui dans l'enseignement supérieur. Les situations comme celles du professeur de droit de Paris XIII ou les autres cas rapportés (à l'IEP d'Aix, à l'EFB, à Lille III, à l'IUT de Paris XIII...) doivent cesser. Le Haut Conseil à l'intégration (HCI) l'avait déjà proposé à l'été 2013, mais le gouvernement Ayrault a préféré faire disparaître cette institution plutôt que d'appliquer ses recommandations.

Je crois qu'il y a urgence à légiférer pour interdire le voile à l'université. Enfin, soyons réalistes et moins angéliques, le voile n'est plus. Aujourd'hui, il s'agit de jilbeb, plus proche du niqab que du « foulard ». En 1989, la première affaire de voile à l'école divisait la société française. À l'époque, déjà, le gouvernement socialiste avait préféré laisser faire par voie de circulaire... Il sous-estimait la menace intégriste pour notre cohésion nationale et laissait les directeurs d'établissement et les enseignants gérer seuls des situations difficiles. Incapables de prendre une décision courageuse, incapables de trancher, incapables de dire « non » au nom des valeurs de

Je suis Marianne

la République, les socialistes avaient préféré
renvoyer la responsabilité aux proviseurs et
directeurs d'établissement, des fonctionnaires
de l'Éducation nationale déjà débordés qui
devaient en plus gérer ces dossiers brûlants.
Ils étaient lâchement abandonnés, bataillant
pour faire respecter ce qui leur semblait, et ils
avaient raison, juste et républicain, relevant de
l'égalité homme-femme. Pendant quatorze ans,
le corps enseignant s'est retrouvé en première
ligne et rarement soutenu. Il a fallu quatorze
longues années et d'innombrables péripéties
scolaires pour que soit votée la loi de 2004.

Allons-nous attendre autant avant que le gouvernement daigne régler la situation ? Vont-ils
continuer à écouter des personnages cyniques
comme Jean-Loup Salzmann, président de la
Conférence des présidents d'université... et
président de l'université de Seine-Saint-Denis
qui affirme qu'il n'y a aucun problème de
prosélytisme, de radicalisme, de communautarisme au sein des universités alors qu'au même
moment, l'un de ses directeurs doit faire face
à des menaces de mort pour avoir dénoncé de
tels agissements, que des tapis de prière sont
retrouvés dans les locaux d'associations culturelles ? On ne peut plus détourner le regard. On
ne peut plus proclamer qu'il n'y a « pas de problème de laïcité en France », comme Jean-Louis
Bianco, président de l'Observatoire de la laïcité

73

son modèle et la fraternité. La loi du 11 octobre 2010 qui prohibe la dissimulation du visage dans l'espace public, autrement appelée loi « anti-burqa », avait été portée devant la CEDH. La compatibilité de celle-ci avec les droits et libertés garantis par la Convention européenne des droits de l'homme avait été soulevée, qui avait donné raison à la République et débouté les demandeurs. La Cour s'était prononcée sur la conventionalité de la loi et avait conclu à l'absence de violation de la Convention. Elle estimait que le motif de la sécurité publique pour prohiber de manière générale la dissimulation du visage n'était pas nécessaire. En revanche, cessant l'hypocrisie, elle validait et trouvait légitime le but véritable de cette loi : « la préservation du "vivre ensemble" en France ».

Quand la France et ses législateurs agissent dans le sens du juste, du « vivre ensemble », de l'idéal républicain, elle doit être sereine. Nous n'avons aucune raison de craindre une condamnation au sujet d'une future loi sur l'interdiction du voile à l'université, car nous agirons dans le sens du progrès, de la lutte contre l'obscurantisme, de l'émancipation des femmes et de la protection de la jeunesse. Plus on renforce la laïcité, plus la République est forte et plus la liberté peut s'exercer.

Entreprises : la nouvelle cible du communautarisme

Une enquête de l'Observatoire du fait religieux en entreprise (OFRE) et du cabinet Randstad d'avril 2015 a fait état d'un doublement, en un an, du nombre de conflits sur la laïcité dans la sphère professionnelle.

Cette recrudescence des revendications à caractère religieux dans l'entreprise est inquiétante et met à mal le climat social, le bon déroulement du travail et la productivité. L'augmentation de ces revendications communautaires inquiète les chefs d'entreprise et les managers. L'enquête réalisée par le groupe Randstad révèle que 23 % des managers ont à traiter régulièrement des cas liés à des questions religieuses au travail.

L'espace social que constitue l'entreprise doit être protégé des exigences à caractère religieux qui perturbent l'organisation de l'entreprise – demande de jours d'absence spécifiques, refus de prendre le poste d'une femme, demande de salle de prière, refus de mixité. Ces revendications sont intolérables et contraires à nos principes : égalité, mixité, laïcité. Ce sont surtout les TPME qui sont les plus vulnérables à la désorganisation que provoquent ces revendications religieuses : pauses répétées pour faire la prière, congés pris pour cause de ramadan qui obligent à faire appel à de l'intérim plus coûteux (si les congés sont refusés, ce sont des arrêts maladie qui sont posés), refus d'être dirigé par une femme et surtout la peur pour le dirigeant d'être poursuivi pour discrimination s'il refuse d'accéder à toutes ces demandes.

Face à une France où les revendications religieuses et communautaires sont toujours plus pressantes, il est urgent de renforcer la loi de 1905. L'entreprise est certes privée, mais elle est surtout un espace social qui accueille des populations diverses où le vivre ensemble doit être préservé. Les dispositifs légaux sont aujourd'hui insuffisants et rendent vulnérables les sociétés qui prennent des initiatives en faveur de la laïcité, comme le groupe PAPREC qui avait mis en place une charte de la laïcité.

L'affaire Baby-Loup aurait pu être un premier pas et faire jurisprudence. La cour d'appel de Paris avait confirmé le licenciement de la salariée voilée, le 27 novembre 2013, en se servant de la notion « d'entreprise de conviction en mesure d'exiger la neutralité de ses employés », mais la Cour de cassation, le 25 juin 2014, a précisé que ce licenciement n'avait pas de portée universelle : « Il ne résulte pas pour autant que le principe de laïcité (…) est applicable aux salariés des employeurs de droit privé qui ne gèrent pas un service public »…

Face au vide juridique, le communautarisme et l'obscurantisme prospèrent et imposent leur loi. L'urgence à légiférer sur la laïcité en entreprise se fait de plus en plus grande. Il faut cesser d'occulter cette réalité que l'on doit combattre avec force au nom des valeurs de la République, en renforçant la loi de 1905. Autour de cette loi fondatrice, mais aujourd'hui insuffisante face à un nouveau phénomène religieux, il faut une loi sur le respect de la laïcité dans les entreprises afin de les protéger et leur assurer la neutralité nécessaire au bon déroulement de leur activité. La loi doit accompagner les managers et chefs d'entreprise qui souhaitent se prémunir contre ce type de conflits et se concentrer sur ce qui est leur mission : créer de la valeur pour créer de l'emploi. La République doit réagir rapidement. La laïcité ne doit ni s'arrêter aux portes de l'université, ni aux portes des entreprises. Face aux obscurantistes, pour que la laïcité vive, les Républicains doivent mener le combat sans avoir la main qui tremble.

L'affaire de l'affiche du concert des prêtres en soutien aux chrétiens d'Orient massacrés par le barbares de l'État islamique, censurée par la RATP, est assez instructive sur ce qui se joue à la RATP. Derrière la surprenante décision de sa régie publicitaire, ce qui n'a pas été dit, c'est que la Régie des transports publics n'a pas fait du zèle sur la laïcité pour défendre la République... mais tout simplement pour se prémunir d'éventuelles revendications communautaires et religieuses avec lesquelles elle compose depuis de nombreuses années. Ce n'était pas une fièvre « laïciste » qui pouvait expliquer sa décision disproportionnée mais la réalité sociale de cette entreprise qui doit faire face à une partie de ses salariés (notamment les chauffeurs) animés de revendications religieuses liées à l'islam radical.

À la RATP, service public, l'embauche de jeunes femmes portant le foulard n'est pas problématique, certains chauffeurs de bus refusent les salles de pause si elles sont mixtes, refusent de conduire après une femme... Des exigences que semble accepter la RATP car les bus sont changés afin que ces messieurs radicalisés et moyenâgeux puissent prendre leur service. En cédant à ces exigences, la France, avec la complicité de ses entreprises publiques, se met à genoux. Je ne comprends pas que ces personnes puissent avoir un emploi dans une entreprise publique... alors qu'elles méprisent ouvertement la France et ses valeurs. Et pendant ce temps, les femmes chauffeurs de bus qui subissent ces agissements misogynes et qui ont le courage d'en parler sont priées de se taire et de prendre sur elles pour ne pas créer de conflits...

Enfin, il convient de rappeler que, contrairement à ce qui est véhiculé dans de nombreux médias, la liberté de conscience ne se limite pas à la liberté religieuse. Les signes ostentatoires religieux heurtent également la conscience de ceux qui ne croient pas. Le port du voile ne concerne pas uniquement celles qui le portent… Dans les services publics et la sphère publique, on est en contact avec les autres et on doit pouvoir communiquer sans entrave et sans gêne. Nous n'avons pas toujours le libre choix de nos relations. Ceux qui sont gênés par une femme voilée, parce qu'ils estiment que le voile est un instrument de soumission, doivent voir leurs convictions respectées dans cet espace qu'ils sont amenés à partager. Les convictions religieuses ou l'absence de convictions religieuses doivent être traitées au même titre. Il n'y a aucune hiérarchie entre les deux, contrairement à ce qu'en dit la doxa majoritaire. Celui qui ne croit pas a autant de droits que celui qui croit. Dès lors, la seule règle possible est la neutralité dans l'espace public ou plutôt la neutralisation des signes ostentatoires religieux dans l'espace public.

Les maires doivent donner l'exemple

Un principe ne peut s'appliquer correctement que s'il ne connaît pas trop d'exceptions

à son application... La clarté permet de renforcer l'autorité. Aucune dérogation ne peut être
tolérée dans l'application du principe de laïcité
dans l'espace public, et plus spécialement dans
les services publics. En condamnant le conseil
général de Vendée, qui avait installé dans le hall
une crèche de Noël, le tribunal administratif de
Nantes n'a fait qu'appliquer la loi sur les signes
ostentatoires dans les lieux publics et plus largement les principes de séparation de l'Église et de
l'État. Je ne pense pas que les magistrats aient eu
pour objectif de s'opposer aux traditions issues
des origines chrétiennes de la France mais bien
de rappeler la séparation qui doit exister entre
la nécessaire neutralité du service public et les
symboles religieux, quelle que soit la religion
concernée.

Quelques mois plus tard et à quelques
centaines de kilomètre de là... dans la ville
du tonitruant Robert Ménard, fondateur et
ex-secrétaire général de Reporters sans frontières, passé à l'extrême droite et devenu maire
de Béziers, une tout autre interprétation des
juges sur une situation identique a eu lieu. Une
règle libérale, deux interprétations du droit,
c'est peut-être ce « libéralisme » de la loi de
1905 qui génère aujourd'hui de nombreuses
difficultés et débats sur l'essence du texte âpre-
ment débattu au début du siècle dernier. Il
connaît sûrement aujourd'hui ses limites et il

est évident qu'il faudra œuvrer à renforcer la loi de 1905. Ainsi, à Béziers, on pouvait trouver une crèche de la Nativité dans l'entrée de la mairie. La Ligue des droits de l'homme et un habitant de la ville ont porté l'affaire devant la justice afin qu'elle soit retirée au motif que cela constitue une infraction à la liberté de conscience, au principe de laïcité et à la neutralité du service public. Par ailleurs, l'article 28 de la loi du 9 décembre 1905 dispose qu'il est interdit « d'élever ou d'apposer aucun signe ou emblème religieux sur les monuments publics ou en quelque emplacement que ce soit ». La mairie de Béziers semble donc être en infraction… Pourtant, l'interprétation du tribunal administratif a statué en faveur du maire car il estime dans son jugement que la crèche n'avait « pas nécessairement une signification religieuse » et que l'article 28 de la loi de séparation de l'Église et de l'État ne concernerait que les objets qui symbolisent « la revendication d'opinions religieuses », concluant que cette crèche s'inscrivait dans le cadre d'animations « culturelles » organisées à l'occasion des fêtes de Noël et que cela n'engendrait aucune préférence dans le traitement des citoyens.

C'est un raisonnement plus que discutable. La crèche de la Nativité n'est pas le sapin de Noël. La crèche de la Nativité n'est pas un symbole païen, comme le père Noël, c'est un symbole religieux que l'on ne peut et ne doit pas vulgariser. On ne peut pas mettre sur un pied d'égalité le sapin, le père Noël et la crèche de la Nativité ! Les deux premiers sont « culturels », « païens », pour ne pas dire commerciaux. La crèche représente une scène fondatrice de la chrétienté. La crèche n'a pas sa place dans une mairie ou un conseil général. Elle peut être présente sur une place de la ville, devant l'église, près de la mairie mais pas dans une institution publique. La mairie représente l'État et celui-ci doit être laïc.

Il faut distinguer l'histoire de la France et l'histoire de la République. Si la première peut renvoyer à des racines et des valeurs chrétiennes, la seconde s'est construite progressivement, en opposition à la puissance et à l'immixtion permanente de l'Église dans les affaires de l'État. La République est donc indissociable de la laïcité. Or, nous avons démocratiquement décidé de fonder notre État de droit sur la République. Par conséquent, nous ne pouvons plus faire marche arrière au nom de racines religieuses, sauf à renoncer à la République et devenir un pays communautariste… ce qui n'est pas souhaitable.

La France a ses racines chrétiennes, judéo-chrétiennes même, elle n'a pas débuté en 1905, mais après 1905 l'organisation de l'État se fait dans un cadre précis qu'il convient de respecter et de protéger. Il faut cesser les contournements et les interprétations alambiquées en maquillant en « culturel » ce qui est strictement religieux. En procédant de cette manière, les juges de tribunal administratif de Béziers rejoignent et donnent des arguments aux ennemis de la République que sont les islamistes. L'argument du « culturel » est systématiquement utilisé par les « voilophiles », les « burqaphiles », les islamistes ennemis de la laïcité. Méfions-nous de ceux qui en appellent au « culturel » pour justifier un détournement de la loi, une attaque aux principes républicains. La décision de Béziers, dont le maire s'est enorgueilli, a eu pour intérêt de démontrer, une fois de plus, les accointances entre l'extrême droite et les islamistes. Chacun se nourrit des excès de l'autre, tous deux ont pour ennemi commun notre identité et nos valeurs. Ne l'oublions jamais.

Marianne ne célèbre pas le ramadan dans ses mairies

Par ailleurs, comment expliquer que l'on refuse des crèches de Noël dans les mairies de droite, souvent, et que l'on célèbre la rupture du ramadan dans celles de gauche ? D'un côté, on crie au sacrilège, au racisme et au rejet de l'autre... de l'autre, on vante l'ouverture, le vivre ensemble et l'égalité à la sauce « SOS Racisme ». Je crois que les deux sont des hérésies. Les crèches n'ont pas leur place dans les halls des mairies, tout comme la rupture du ramadan n'a pas à être célébrée dans une mairie.

Évidemment, comme chaque fois, on présentera l'argument du « culturel » pour justifier l'entrave à la laïcité que constitue la célébration de l'Aïd, qui marque la fin du ramadan... Le ramadan est aussi religieux que la crèche de Noël, il est même l'un des cinq piliers de l'islam... Évidemment, derrière cette célébration, il y a une arrière-pensée politique. Cela permet d'inviter les « représentants », « les élus », et de faire un peu de clientélisme électoral. C'est également l'occasion de s'offrir une image de personnalité publique ouverte sur les autres cultures, favorable à la mixité culturelle et farouche défenseur des minorités... « J'adore le couscous ! » « C'est formidable cette musique avec cette darbouka ! » « Cette stigmatisation des femmes voilées est insupportable ! »...

Mais ces repas ne sont rien d'autre qu'un traitement communautaire de la population française. Une segmentation par origine, par religion, ce qui est censé être interdit par la loi... Je crois que la rigueur républicaine doit regagner nos élus et nos responsables politiques, médiatiques, associatifs... car ce communautarisme mondain est également la gangrène de la République. Il n'est pas plus acceptable que celui qui sévit dans nos banlieues. Si on ne peut tolérer une crèche dans un service public, car le symbole auquel elle renvoie est éminemment religieux, il doit en être de même pour le ramadan, qui n'a pas sa place dans le service public, encore moins dans une mairie.

Certains diront que les repas de Noël, eux, sont tolérés... En effet, ils le sont ; c'est l'occasion, une fois dans l'année, de bien manger dans les restaurants des collectivités et des écoles ! Cela permet à ceux qui n'ont pas les moyens de manger les produits traditionnels, comme le saumon ou le foie gras, d'y accéder enfin et ça les change du steak haché-frites des cantines ! Ce repas, c'est une petite fête pour tous, elle ravit tous les usagers des cantines, quelle que soit leur confession.

La repas de Noël n'est pas semblable à la crèche de la Nativité présentée dans une mairie ou un repas petits fours et invités triés sur le volet pour la fin du ramadan célébrée dans les beaux salons de l'hôtel de ville. On ne peut pas comparer ce qui n'est pas comparable. La plupart des musulmans et des juifs fêtent le

Noël païen. Mais aucun chrétien, aucun juif ne célèbre la fin du ramadan. Comme aucun musulman, aucun catholique ne célèbre Pessah. La fête de Noël est d'origine religieuse, mais elle est devenue, au fil des siècles, une fête païenne, fêtée de tous. La majorité des familles en France, quelles que soient leurs origines ou leurs confessions, se retrouvent le 24 décembre au soir pour le réveillon de Noël et s'offrent des présents. Qu'y a-t-il de plus beau que les yeux d'un enfant qui attend impatiemment de découvrir ses cadeaux ? Toutes les familles se rassemblent, aucun parent ne veut priver ses enfants de cette fête, qu'importent leurs croyances.

Enfin, faut-il renoncer à tout ce qui rappelle les origines et les traditions françaises ? Renoncer à Noël, renoncer aux jours fériés qui sont rattachés au calendrier religieux pour ne pas heurter les croyances d'autrui ou au nom d'une égalité définitivement dévoyée ? Je ne le crois pas souhaitable et cela serait s'engager dans la voie d'un déni de l'histoire de la France, de ses racines et traditions.

Refuser ce patrimoine, c'est engager la France dans un chemin d'amnésie. Un homme qui n'a pas de racines chancelle. Une maison sans fondations s'effondre. Un pays qui ne connaît pas son histoire, ses racines, est un pays qui n'a pas d'avenir. La connaissance et la défense, sans excès, sans hystérie, de ce patrimoine culturel n'excluent pas d'accueillir avec fraternité, d'avancer dans l'égalité et de rechercher le progrès et la modernité. L'identité de la France, ce n'est pas une matière molle que les derniers arrivés doivent modeler selon leur bon vouloir ou leur « sensibilité culturelle ». Au contraire, la force et l'honneur d'une Nation et d'un peuple, c'est de pouvoir accueillir sans s'oublier, ni discriminer. Cela, la France est capable de le faire, elle l'a déjà démontré. Dans les années à venir, et dès aujourd'hui, il lui faudra faire preuve d'esprit de résistance pour combattre ses ennemis et ses faux amis.

Les socialistes ont proposé de modifier des jours fériés car ils sont inspirés des fêtes catholiques et que cela – au nom de l'égalité – devrait être remplacé par des jours fériés modulables, musulmans ou juifs. Cette proposition est l'exemple de ce qu'il faudra refuser au nom de l'unité de la République. Une et indivisible. Cela passe aussi par un calendrier identique qui permet de maintenir la cohésion du peuple. Le Français de la Réunion doit avoir les mêmes jours fériés que celui de la métropole, au nom de l'égalité. Car l'égalité est trop souvent détournée en égalitarisme. Je déteste les mots en « isme », leur musicalité est porteuse de violence et d'agressivité. La société des « ismes » est l'un des maux dont la France souffre depuis plusieurs décennies. L'égalité de droit, garantie par la Constitution, pour tous, sans exception, ne doit pas être supplantée par l'égalitarisme dogmatique, systématique, et sans nuance.

Marianne accueille

La France a toujours été une terre d'accueil et de brassage. L'identité heureuse s'est exprimée dans la capacité des nouveaux venus de s'adapter et de faire leur la culture française, par la maîtrise de sa langue, l'adoption de son mode de vie et de ses codes culturels. Ma grand-mère qui est arrivée un peu avant les années 60 dans le nord de la France, ne parlait pas le français, mais lorsqu'elle allait chercher ses enfants à l'école ou au supermarché, c'était habillée à l'européenne qu'elle le faisait. Aujourd'hui, il y a un refus d'une génération à adopter les modes culturels de la France et de manière plus globale, de l'Occident. Cette nouvelle génération les considère comme dégradants, appartenant à une civilisation en perdition où les femmes seraient légères, l'homosexualité acceptée et les rapports autorisés avant le mariage. Ce refus est celui, souvent, d'une génération née en France, biberonnée par les discours des salafistes, ces barbus qui

Le chômage qui frappe très durement notre pays, frappe plus encore les populations les moins bien formées, les citoyens des zones périphériques et la discrimination ajoute aux difficultés. La pénurie d'emplois ne facilite pas l'intégration et ce n'est pas la batterie d'« emplois aidés », de « contrats jeunes », « contrats d'avenir » et autres sparadraps pour lutter contre le chômage des jeunes les moins qualifiés et des quartiers difficiles qui vont les extraire de leur désœuvrement et de leur rejet du « système ». D'ailleurs, les communicants s'amusent toujours à donner de grands noms aux petites mesures... Les « contrats d'avenir »... pour un job qui mène vers la précarité, quel cynisme ! Or, le manque de travail conduit les personnes à l'enfermement entre communautés ethniques et religieuses, disent les sociologues... Le communautarisme s'expliquerait aussi par le chômage et certains oseront même le dire pour le jihadisme. Il y a un million de chômeurs en plus depuis l'arrivée au pouvoir de François Hollande... soit 5,6 millions de chômeurs (juin 2015, toutes catégories confondues, chiffres publiés par le ministère du Travail et Pôle emploi)... Si je suis le raisonnement des « sociologistes », on pourrait considérer que c'est autant de potentiels jihadistes ? Les enfants des années 20, qui ont souffert de la crise, pour beaucoup orphelins de la Première Guerre mondiale, ne se sont pourtant pas transformés

en monstres sanguinaires, vouant une détesta-
tion sans borne à la France ? La difficulté économique peut expliquer certains comportements
mais ne doit rien excuser. Le mal de la France
se trouve peut-être dans cette propension à vouloir tout expliquer par la sociologie ou même le
story-telling.

Nous avons une fascination pour les failles, les
cassures qui fonderaient un homme, un destin.
Une fascination qui prend parfois le dessus sur
la nécessité de sanctionner et de rappeler que le
contexte n'excuse pas l'inexcusable, que les cir-
constances atténuantes ne doivent pas empêcher
la sanction. L'absence d'autorité républicaine et
de cohérence entre le travail de la police et la
justice peuvent expliquer beaucoup de choses.
D'ailleurs, il est assez intéressant d'observer que
certains jeunes, qui font les caïds en France, se
transforment en bons garçons sages et respec-
tueux de la police lorsqu'ils sont de l'autre côté
de la Méditerranée... Il est vrai que la police
algérienne ou marocaine n'a pas la même
patience que la police française.

L'intégration citoyenne ou politique devient
de plus en plus difficile, tant le rejet quasi viscéral de la France et de ses valeurs est installé
dans certains esprits. Quel ne fut pas mon éton-
nement d'entendre une petite de 7 ans, née en
France, dont les parents sont nés en France,
et les grands-parents sont installés en France

depuis les années 60, m'expliquer qu'à l'école il n'y a pas beaucoup de « Français »… Après avoir expliqué que sa langue était le français, qu'elle était née en France, qu'elle vivait en France et donc elle était française et devait aimer son pays, elle semblait avoir fait une découverte incroyable. Pour elle, elle ne pouvait pas être française. Pourtant, ses parents étaient éduqués et occupaient des postes à responsabilité. Ils utilisaient souvent une expression pour désigner les autres « mais eux, c'est des Français ». Alors, cette petite fille ne pouvait pas comprendre qu'elle aussi était française. Elle ne voulait pas décevoir en se considérant comme ces autres, « les Français ». Voilà le drame de l'échec de la politique d'intégration et du refus de cohésion nationale. Doit-on pour autant lâcher, céder et ouvrir la porte aux particularismes ? Se laisser dicter nos politiques par ce qui nous sépare ? Tourner le dos à notre utopie républicaine de « vivre ensemble ». Si c'est à marche forcée que nous devons nous retrouver, eh bien nous le ferons car il en va de l'avenir de nos enfants et de l'intérêt supérieur de notre République.

La Liberté guidant le peuple de Delacroix, doit, en ce début de siècle, prendre corps en chacun de nous. La République doit guider le peuple. Si l'homme est paresseux et refuse l'effort qui est la condition d'une intégration réussie, la République doit intervenir pour compenser

peut prétendre à la nationalité française sans difficulté. Ces deux accès à la nationalité organisent
notre politique d'acquisition de la nationalité.
Régulièrement, le débat sur le droit du sol et
le droit du sang ressurgit. À l'extrême droite, il
y a les tenants de l'abrogation du droit du sol,
qui considèrent que l'on ne peut être français
que si du sang « gaulois » coule dans vos veines
et qu'à ce titre le droit du sol est une hérésie. Je
ne partage pas cet avis. Je crois que le débat peut
être ouvert aujourd'hui car il est indéniable que
la facilité avec laquelle on peut devenir français
diminue la valeur de cette nationalité. Il suffit de
naître sur le sol français pour être français. Avant
1993, il fallait faire un acte de consentement
volontaire, cela relevait plus du symbole mais
demandait un temps de réflexion et une volonté
d'intégrer cette nationalité. Lionel Jospin et
Elisabeth Guigou ont supprimé cette condition
d'expression de la volonté du candidat à la nationalité française. Je regrette cette décision, car
devenir français doit être semblable à un chemin
initiatique qui permet de mesurer l'importance
de la démarche entamée et les conséquences de
celle-ci sur notre vie, notre mode de vie et les
valeurs auxquelles on doit désormais adhérer.

L'idée de devenir français par le simple fait
de naître dans une maternité française n'a
pas tardé à être comprise par les candidats à
l'immigration. Les personnes qui arrivent de

Par ailleurs, la République est généreuse et
accueillante… mais en a-t-elle véritablement les
moyens ? Comment les 8 millions de personnes
qui vivent sous le seuil de pauvreté peuvent-elles
comprendre que l'on octroie des moyens à de
nouveaux arrivants auxquels nous ne pourrons
offrir ni toit, ni emploi, ni intégration politique ?
La Sécurité sociale est au bord de l'explosion.
Les dépenses de solidarité ont atteint des sommets. Comment pourrions-nous financer des
aides aux migrants ? Le système social français
est l'autre effet d'aubaine. On ne vient pas en
France par hasard, comme le disait le père de la
fameuse Leonarda Dibrani, auteure du célèbre
« il a rien compris, Hollande ! ». Une famille très
aidée par la France, dont l'expulsion de la jeune
fille avait ému les belles âmes… qui nous la pré-
sentaient comme une jeune lycéenne qui voulait
s'intégrer. On apprendra plus tard dans le rapport de l'IGA que la jeune fille avait un très fort
taux d'absentéisme scolaire (avec 66 demi-jour-
nées d'absence en 6e, 31 en 5e, 78 en 4e) Une
famille à laquelle la France a tout donné : logement, éducation, soins. Ils n'ont pas pris le
temps d'apprendre à parler français. À quoi
bon ? La France, à leurs yeux, n'est qu'un gui-
chet automatique, il suffisait de réclamer, pleurnicher un peu… attendre et finalement obtenir.
Ici, les soins sont gratuits, l'assistante sociale
vous trouve un logement, la caisse d'allocations

familiales vous verse une allocation pour vos enfants, une aide pour payer votre loyer. C'est politiquement incorrect de le dire mais la réalité est celle-ci. La beauté de notre système social ne tiendra pas longtemps. Les Français parlent de plus en plus ouvertement de leur ras-le-bol face aux excès et, chose plus étonnante, ceux qui en abusent le revendiquent avec fierté, à l'instar de M. Resat Dribani. La République généreuse ne doit pas devenir la République crédule.

Régis Debray, dans son livre *La République expliquée à ma fille*, exprimait, dans un dialogue sur l'accueil des migrants en référence à l'épisode de l'église Saint-Bernard dans les années 90, le fait que l'on ne pouvait pas accueillir sans moyens et sans possibilité d'intégrer et que cela ferait tôt ou tard des bombes à retardement pour la société. Nous avons le devoir de gérer les difficultés de ceux qui sont sur notre territoire et reprendre en main les problèmes liés à l'échec de l'intégration avant d'ouvrir à nouveau nos bras.

Je me souviens que j'avais à peine 12 ans à cette époque et je suivais ces évènements devant la télévision. Les images étaient difficiles, ces femmes, ces enfants, ces hommes fatigués et affaiblis, apeurés, qui avaient trouvé refuge dans cette église. Je me souviens d'Emmanuelle Béart qui était venue les soutenir et faire barrage aux

CRS qui devaient les déloger. Le mois de juin 2015 est un bis repetita. Mêmes images, mêmes migrants, mêmes lieux, et toujours un problème sans réelle solution. Ces drames humains sont très difficiles à résoudre, on gère les conséquences sans réellement réussir à endiguer les causes. Les migrants arrivent toujours plus nombreux, cherchant à fuir une vie difficile. Ils rêvent simplement d'une vie meilleure. Qui peut leur reprocher cette quête ? Leur démarche qui relève de la survie n'est pas critiquable, on ne peut pas leur en vouloir. Ils sont victimes de leurs dirigeants, de réseaux mafieux, nouveaux esclavagistes modernes.

L'Afrique connaît une poussée démographique forte, la ville de Lagos au Nigeria est peuplée de 8 à 17 millions de personnes, fourchette large car il est extrêmement difficile de faire un recensement précis. Les démographes estiment qu'elle atteindra les 25 millions d'âmes d'ici 2020, soit presque 45 % de la population française réunie dans une seule ville. Cette explosion démographique ne s'accompagne pas d'une accélération des installations d'électricité, d'eau courante, d'infrastructures sanitaires, sociales, scolaires et d'emplois. La population est livrée à elle-même. Une ville disproportionnée, où il n'y a pas de place pour les plus faibles et qui bat des records de délinquance, de disparités de revenus et dont le prix de l'immobilier est parmi les plus élevés du monde.

la situation économique du pays, le chômage à près de 10 %, l'école qui se délite, l'intégrisme religieux qui gagne les quartiers populaires, le rejet de la France par une partie de la population, nous obligent à nous concentrer sur ceux qui sont déjà là. Des jeunes devenus des bombes à retardement qui dérivent vers la délinquance, la petite, puis la grande, et parfois la guerre contre la France. La question des migrants doit être traitée au niveau des pays sources, seuls responsables de cette misère qui pousse leurs ressortissants à la fuite. Nous devons les aider à se développer, à avoir accès à l'énergie, à l'éducation et à la sécurité. Le chantier sera vaste mais il n'y a pas d'autres solutions. Disons-le franchement, l'Europe et la France ne peuvent rien faire pour les migrants si ce n'est les accompagner dans le développement de leur pays et l'amélioration de leurs conditions de vie. Ce n'est pas un centre d'accueil pour migrants à Paris, décidé de manière rapide et opportuniste par Madame Hidalgo, qui changera quelque chose. Quel sursaut soudain d'humanisme de sa part... Ces migrants étaient installés là depuis des mois mais il a fallu que les caméras du monde entier viennent filmer le démantèlement de ce camp, qui provoquait des nuisances de voisinage, pour que madame le Maire de Paris se décide à trouver une « solution provisoire ». Je suis sceptique car, en la matière, le « provisoire » se transforme rapidement en durable… Sangatte aussi devait être une solution provisoire. Et puis, que de mépris pour tous ces SDF qui, au même moment, dorment à même le sol, aidés par des litres de rouge bon marché, leur « dernier ami », celui qui leur offre quelques heures d'évasion, de divagations loin de cette misérable réalité. Ces âmes fantômes, personne ne semble les voir et madame le Maire de Paris n'a pas de centre d'hébergement provisoire à leur proposer. Il est vrai que les caméras ne se sont pas tournées vers eux.

Cette question des migrants et de l'immigration est très sensible. Il faut la traiter avec beaucoup d'humanité car nous avons affaire à des hommes, des femmes et des enfants. Notre humanité ne doit pas empêcher un certain pragmatisme et une protection des intérêts de la France. Nous avons toujours eu une tradition d'accueil et nous sommes l'un des premiers pays européens à accueillir les réfugiés politiques grâce au mécanisme de l'asile politique. On vient en France chercher la liberté de s'exprimer, de se rassembler, de s'engager, de vivre. L'asile politique est aussi l'application d'un article de la Convention du 28 juillet 1951. Une personne à qui son pays d'origine ne peut apporter la protection face aux persécutions peut solliciter la protection d'un autre pays.

Ainsi, la France par le droit d'asile apporte une protection subsidiaire à de nombreux réfugiés. À travers le droit d'asile, elle offre une terre d'accueil et de protection à tous ceux qui sont opprimés ou menacés pour leurs idées ou plus simplement pour ce qu'ils sont. La France est le deuxième pays européen sollicité. En 2014, il y a eu 76 765 demandes d'asile, 10 740 ont été accordées et moins de 10 % des déboutés ont été reconduits dans leur pays.

L'année 2015 a connu une explosion importante du nombre de demandeurs d'asile et l'arrivée de l'été a été l'occasion d'un spectacle désolant de _boat people_, venus chercher la paix sur le rivage nord de la Méditerranée. Les conflits internationaux se multiplient, Syrie, Soudan, Libye, Érythrée. Mais, au même moment, la détresse sociale s'accentue en France et notre système social se maintient péniblement.

Il faut renforcer les conditions du droit d'asile

Je pense qu'il est indispensable de maintenir la tradition d'accueil de la France et celle de l'asile politique. Toutefois, je considère qu'il faut revoir les conditions de son obtention et accélérer la prise de décision. Un dépôt de demande d'asile permet à une personne entrée illégalement sur le territoire de rester le temps

de l'instruction du dossier. Cela peut prendre
jusqu'à deux ans. Si la demande est rejetée, un
recours est possible. Durant ces deux années,
la personne peut bénéficier de toute la générosité du système social français : logement, santé,
allocations diverses. C'est là que le bât blesse.
Parmi l'ensemble des demandeurs d'asile, il y a
bien des personnes qui sont menacées et persécutées dans leur pays. Mais la multiplication des
conflits va multiplier le nombre de personnes
qui pourront légitimement prétendre à cet asile.
Le système deviendra intenable. Lorsqu'on
parle de migrants, il faut faire attention à ce
terme impropre et flou. Une partie est effectivement constituée de réfugiés politiques, l'autre
en revanche est constituée de clandestins qui
viennent pour des raisons économiques et que
l'on ne peut accueillir.

Les disparités en termes de prestations sociales
entre les différents États membres de l'Union
européenne mèneront les migrants à porter leur
choix vers le pays qui dispose d'une offre sociale
plus ouverte et généreuse. Le dumping social
de la France attirera les familles de migrants
et les réfugiés. D'ailleurs, la France figure déjà
en tête des pays pour la demande d'asile. Or,
la misère est aujourd'hui dans nos territoires.
Le quart-monde est à quelques kilomètres
de nos centres urbains et celui-ci mérite que
l'on concentre nos capacités financières pour

l'extraire de la misère dans laquelle le nouveau prolétariat sans emploi s'enlise. Cette misère honteuse, celle qui fait raser les murs, s'enferme pour ne pas être vue et éviter de devoir baisser les yeux.

Ces familles se cachent, préférant multiplier les couches de pulls pour éviter le froid d'une maison mal isolée et dépourvue d'un chauffage trop onéreux. Il faut choisir entre se chauffer ou manger un peu. Il faut s'habituer aussi à oublier la faim qui terrasse les estomacs devant la télévision.

Ne pas leur tendre la main est criminel. Occulter ces oubliés de la République, c'est les jeter dans les bras de l'extrême droite. Le populisme se nourrit des frustrations et de la misère économique, familiale, sociale, intellectuelle. Quand le peuple a faim, quand le peuple ronge son frein, quand le peuple a peur, c'est à ce moment que les extrêmes, tels des charognards, arrivent, pour le mener vers l'horreur. L'histoire nous l'a déjà démontré. Aujourd'hui, nous sommes à l'orée d'une telle situation. D'autres pays européens ont déjà choisi les partis populistes, d'extrême droite ou d'extrême gauche. Quelle différence, d'ailleurs, ils finissent toujours par s'entendre, comme en Grèce.

Intégration, assimilation : conforter la communauté nationale

Aujourd'hui la question à traiter n'est malheureusement plus celle de l'intégration mais plutôt : « Comment éviter que la société française explose ? » Progressivement, on assiste à une véritable fracture sociétale, qui risque de s'accentuer avec l'arrivée de nouvelles populations qui seront difficilement intégrables. L'après-*Charlie* avait donné l'occasion de faire un constat clair l'intégration a échoué en France. Quelques mois plus tard, il est étonnant de voir que peu évoquent l'immense difficulté que posera l'intégration des migrants venus de Syrie ou d'Irak.

Le corps social est déchiré et une véritable fracture s'opère sous nos yeux. Trois France s'opposent désormais. La première est celle des nantis médiatiques faiseurs d'opinion, qui vivent dans une bulle et qui aiment juger la suivante et excuser la dernière. La deuxième est celle de la petite bourgeoisie-classe moyenne qui ronge son frein, garde son calme en public par crainte de passer pour des beaufs et éructe dans son salon. La dernière est celle issue de la banlieue qui entend avoir le droit à tout et de responsabilités sur rien car « on nous a parqués ici. C'est pas notre faute ». Il y a donc aujourd'hui trois France : une France aveugle, une France muette et une France réclamante et revancharde. Le cocktail est explosif et tous les ingrédients sont réunis pour que notre société se désagrège. La fracture entre ces trois France se situe autour des valeurs de la République, au premier rang desquelles la laïcité, le mérite et le respect de l'autorité de l'État.

L'intégration depuis bientôt quarante ans en France a été un échec retentissant et la montée des communautarismes religieux et notamment du communautarisme islamique en est l'illustration. Pourquoi ? Parce que certains ont cru bon de cultiver ce qui nous divise plutôt que ce qui nous rassemble. Ils ont cru bon de briser le pacte républicain par clientélisme électoral en pensant que la France était un pays multiculturel comme les USA ou la Grande-Bretagne.

Or, la France a toujours eu une culture unique et elle s'appelle la République. Dans cette culture, on respecte la neutralité religieuse dans l'espace public. Dans cette culture, on respecte l'égalité homme-femme, on préfère le travail à l'assistanat, le mérite à la discrimination positive car tous les citoyens sont égaux.

Le débat posé entre intégration et assimilation est ridicule, il est juste bon à occuper quelques enseignants ou pseudo-intellectuels. L'intégration réussie s'appelle l'assimilation et l'intégration ratée, le communautarisme. Aujourd'hui, ce n'est pas au débat suranné entre intégration et assimilation que nous devons répondre, mais au débat entre assimilation et communautarisme. Le communautarisme signifiant, rappelons-le, la fin de la République.

Alors pour moi, entre communautarisme et assimilation, entre une société basée sur les divisions et une société basée sur des valeurs communes, il n'y a pas de débat, je préfère la voie de la République et donc de l'assimilation. Mais comment? L'assimilation est un contrat avec la République et la France. Comme tout contrat, il passe par le respect de droits mais aussi d'obligations. L'essence même de ce contrat est la notion d'adhésion. Cette adhésion aux valeurs de la République et de la citoyenneté française doit pouvoir s'évaluer, se mesurer. C'est la raison pour laquelle, par exemple, l'accès à la nationalité française pour les étrangers ne peut pas être un automatisme. Il ne s'agit pas de remettre en cause le principe même du droit du sol auquel nous sommes attachés et qui traduit notre histoire et notre identité mais, en revanche, il s'agit d'en repenser les conditions.

L'accès à la nationalité française doit être une présomption, c'est-à-dire que sous certaines conditions, l'État doit pouvoir la renverser : par exemple si le postulant a commis des actes de terrorisme ou de délinquance avant la demande.

indivisible. » Elle est la somme d'individus et non l'addition de communautés. Il est important de le rappeler : notre société s'est construite autour de ce qui nous rassemble, pas autour de ce qui nous divise. C'est cela l'identité de la France. Valider les statistiques ethniques, c'est valider les mécanismes de discrimination positive et, à terme, l'avènement d'une société communautarisée. En effet, l'objectif caché des statistiques ethniques, ce n'est pas de produire des études scientifiques mais de fonder une société basée sur le principe de la discrimination positive.

Si les statistiques ethniques étaient institutionnalisées, il s'ensuivrait la mise en place de droits dérogatoires et de logiques de quotas par communautés ethniques ou religieuses. Les minorités se compteraient et réclameraient des droits dérogatoires et des représentants en fonction de leur poids supposé en politique, dans les administrations et dans les entreprises. Cela serait inéluctable et créerait de fortes tensions dans notre société, qui n'en a vraiment pas besoin. Il faudrait donc le député des Noirs, des Asiatiques, des Arabes… mais aussi, dans les entreprises et dans la fonction publique, des recrutements basés non sur le mérite mais sur l'appartenance à une communauté ! Que feraient les enfants nés de métissages ? Dans quelle catégorie devrait se déclarer celui qui a une mère asiatique musulmane et un père juif tunisien ? Tout cela serait ridicule et mettrait constamment en difficulté les décideurs publics et les administrations.

En 2007, les statistiques ethniques avaient été rejetées par le Conseil constitutionnel et la commission Veil avait rendu un avis défavorable arguant que cela « n'est pas dans la tradition juridique française ». Nous ne pouvons pas proposer des statistiques ethniques qui institueraient, à terme, un rapport de force entre des groupes de pression représentant des minorités et la République. Inévitablement, les statistiques ethniques nous mènerons vers la fin de l'unité et de l'indivisibilité de la République. Aux États-Unis et en Grande-Bretagne (modèle basé sur le communautarisme et non la République), les statistiques ethniques n'ont pas permis de réduire les inégalités, ni de mettre en place une société plus juste ou plus apaisée… N'est-ce pas dans ces pays qu'il existe encore des émeutes raciales ? Les démographes disposent déjà d'outils qui permettent d'avoir une vision claire de la réalité de la population française (basés sur le nom, le lieu de naissance des parents, l'adresse…). Cela est largement suffisant. L'autre danger de cet outil est qu'il sera très rapidement détourné contre la République… Car, à terme, les statistiques ethniques font toujours le nid du communautarisme.

Marianne n'a pas peur de stigmatiser les ennemis de la République

Marianne lutte contre le terrorisme en luttant contre le communautarisme

Un attentat a encore été commis. Encore. Il y a comme de la lassitude. On savait que cela allait arriver mais on ne savait pas comment, quand, ni où. Depuis 1996, le terrorisme n'avait jamais été aussi présent, comme une épée de Damoclès qui pèse sur nos vies. Au début des années 2000 c'étaient les États-Unis qui étaient la première cible des terroristes. Al-Qaida et Ben Laden en avaient fait leur ennemi héréditaire. C'était le prix à payer d'une forte présence militaire dans les conflits du Moyen-Orient. Mais après les attentats de New York, les États-Unis se sont petit à petit désengagés des conflits contre les islamistes qui tentent de terroriser le monde et de le faire basculer vers un nouveau Moyen Âge. Cette barbarie, venue des tréfonds des siècles et de l'inhumanité, a resurgi par une belle journée d'été, un vendredi.

Nous nous préparions tous à savourer un week-end ensoleillé mais, autour de 10 heures, le couperet est tombé. Saint-Quentin-Fallavier dans l'Isère, un homme a été retrouvé décapité, sa tête attachée au portail de l'entreprise où il travaillait, entourée de deux drapeaux avec des écrits en arabe. Le forcené a tenté de faire sauter l'usine de gaz, classée site SEVESO. Un pompier est parvenu à l'arrêter. Le forcené a crié «Allah Akbar». Pour la première fois en Europe et en France, une décapitation a lieu avec une mise en scène qui reprend parfaitement celle que la propagande de Daech diffuse. Yassine Salhi, qui a commis cette acte ignoble et barbare, fiché «S» par les services, puis sorti du fichage, avait pourtant fait l'objet de notes sur sa radicalisation et ses liens avec les mouvances salafistes lyonnaises en 2013 et 2014. Ce terroriste a pris le temps d'envoyer en Syrie un selfie avec sa victime. Daech serait donc également arrivé en France. Qui sont les complices, si ce ne sont les aveugles volontaires qui nous gouvernent? Ceux qui refusent que l'on nomme les choses.

Lorsqu'en janvier 2015, Nicolas Sarkozy avait parlé de «guerre à la civilisation», il avait été montré du doigt, vilipendé, insulté même. Il était accusé de créer de la division, de la «stigmatisation», de provoquer de l'«islamophobie» et j'en passe. Il fallut attendre ce deuxième attentat, le sacrifice de Hervé Carnara, chef d'entreprise et employeur de Yassine Salhi, pour que Manuel Valls se réveille et évoque enfin, lui aussi, une « guerre de civilisation ». Oui, l'islam radical nous a déclaré la guerre depuis de nombreuses années. Oui, cet islam radical est mortifère. Oui, l'islam radical veut dominer nos destins et nous contraindre, par la terreur et l'influence politique de ses alliés objectifs, à renoncer à nos valeurs et nos modes de vie. Il est particulièrement inquiétant d'avoir pour président de la République un homme qui ne prend pas la mesure de la gravité des événements et se contente d'annoncer qu'il « relève le seuil de Vigipirate en Rhône-Alpes pendant trois jours »… Pourquoi Vigipirate avait-il été réduit en province ? La France, ce n'est pas seulement Paris.

Les terroristes de janvier avaient attaqué Paris, ils allaient frapper ailleurs. Ils sont là où on ne les attend pas. On ne peut pas surveiller tous les lieux de culte, tous les lieux sensibles, toutes les écoles, tous les métros et grands magasins. Mais les annonces du président Hollande ont plus inquiété que rassuré. Quant à Manuel Valls, soudainement rattrapé par le principe de réalité, il évoque une « guerre de civilisation », je m'interroge sur ses motivations profondes et réelles. Considère-t-il Daech comme une civilisation ? Il est plus approprié de parler de « guerre à la civilisation » car, en aucun cas, Daech n'est une civilisation. Aucun. Est-ce par conviction ou par opportunisme médiatique ? Souhaite-t-il réellement tenir un langage de vérité aux Français ou cherche-t-il seulement à apparaître comme un homme d'autorité ? Les événements tragiques aident les hommes politiques en mal de charisme à se tailler une stature. Bernard Cazeneuve en est l'illustration tous les mois depuis janvier.

La gestion des attentats de janvier me laisse perplexe quant à la capacité du gouvernement à agir véritablement. Les socialistes semblent enlisés dans l'idéologie communautariste et n'ont que les mots « Pas d'amalgame » à la bouche. Leur frénétique répétition du « Pas d'amalgame » m'amène parfois à me demander si ce n'est pas de la méthode Coué. Comme pour refouler un amalgame qu'ils seraient à deux doigts de commettre. Quand on n'y pense pas, quand on est sûr de sa vision des choses, il n'est pas nécessaire de répéter sans cesse « Pas d'amalgame ». Une répétition qui deviendrait presque une invitation à en faire.

Après janvier, on a eu le triste spectacle du retour du religieux dans le débat public, il fallait faire attention à la moindre expression pour ne pas froisser les représentants des cultes. Le ministre de l'Intérieur s'est transformé en ministre des Cultes, plus préoccupé de recevoir les dignitaires religieux, ouvrir sa table aux associations douteuses et aux imams prêchant la haine des femmes, des juifs et de la France. La sécurité des Français était déjà un sujet secondaire, l'urgence était de faire des courbettes aux représentants de la « communauté musulmane ». Au même moment, Julien Dray, de retour en grâce au PS, l'amoureux de montres et autres petits luxes, revenait donc nous donner quelques leçons d'humanisme et de République.

Voilà donc l'ex de SOS Racisme sur BFM TV qui nous donne des leçons de sémantique, et parle allègrement « des communautés musulmanes », lui, à qui les Français issus de l'immigration nord-africaine doivent le sobriquet ridicule et méprisant de « beurs » et « beurettes ». Je ne suis pas particulièrement attachée au « jeunisme » en politique, mais, quand j'écoute Julien Dray, je me dis que le renouveau aurait du bon.

L'islamophilie béate de la gauche est anxiogène

Depuis trente ans, la gauche est dans le déni face à la montée du communautarisme religieux dans notre pays et notamment du communautarisme islamique. Elle poursuit ce déni arrogant et ne tire aucune leçon des attentats. Après les attentats de janvier et dans le prolongement de la jurisprudence Baby-Loup, on aurait pu s'attendre à une prise de conscience du problème du communautarisme en France... Eh bien non ! Nous avons plutôt eu à faire dans cette histoire à une gauche davantage soucieuse d'éviter les accusations d'« islamophobie » que de condamner le fanatisme islamique. C'est triste pour la France, c'est triste pour la République et c'est indécent pour toutes les victimes.

Malheureusement, ce n'était qu'une illustration de plus de cette gauche communautariste qui a peur de ses banlieues et qui, chaque fois qu'elle le peut, vire à l'islamophilie béate, au nom du « Pas d'amalgame ». Ce slogan n'est rien d'autre que le « Touche pas à mon pote » de 2015, une manière d'accuser les Français de racisme en leur ordonnant une ligne de conduite. Personne ne peut faire d'amalgame entre un musulman et un islamiste, Messieurs les pères la morale du gouvernement « exemplaire ». À droite, certains ont également abdiqué face aux revendications des « communautés » car la théorie du « vote communautaire » de Terra Nova a essaimé y compris dans les rangs de la droite républicaine. « Nous discutons avec les différentes communautés », déclaration absurde et assassine à l'endroit de la cohésion nationale... Doit-on leur rappeler que la République ne reconnaît pas de « communautés » ?

Autre illustration de cette course socialiste au « vote communautaire », après les attentats de janvier, c'est à l'Institut du monde arabe que s'est empressé de se rendre François Hollande pour prononcer un discours à destination des musulmans de France (le président Hollande avait pourtant dit « Pas d'amalgame » !), qui, à en croire l'agitation médiatique, étaient devenus « les premières victimes » des attentats. J'ai regretté cette indécence des socialistes à vouloir à tout prix éviter le problème, esquiver, ne pas prononcer les mots justes : islamisme, terrorisme islamique, antisémitisme dans les quartiers et communautarisme. Surtout, il ne fallait pas déplaire à l'électorat des banlieues, nouveau peuple de gauche mais qui leur échappe dèja après le mariage pour tous. Surtout, il fallait acheter la paix sociale quitte à solder la République. La peur des émeutes avait pris le dessus.

L'honnêteté intellectuelle aurait été de dire que ces attentats ne ciblaient pas les musulmans. Les victimes étaient journalistes, policiers et juifs. Oui, il y a eu des victimes musulmanes. Mais Ahmed Merabet a été abattu car il portait l'uniforme. Mustapha Ourrad car il était correcteur chez *Charlie Hebdo*. Cet homme, né non loin de mon village de Kabylie, avait obtenu la nationalité française en décembre 2014, il fut assassiné le 7 janvier 2015… D'ailleurs, même à l'étranger, quelques mois plus tard, en Tunisie à Sousse, le terroriste qui a abattu 38 personnes ne ciblait que les Occidentaux.

Comme le déclarait Charb dans sa *Lettre ouverte aux escrocs de l'islamophobie qui font le jeu des racistes*, parue après sa mort : « J'ai moins peur des extrémistes religieux que des laïcs qui se taisent. » Chacun le sait, le communautarisme religieux est le terreau de la radicalisation. Par quoi passe le communautarisme religieux aujourd'hui en France ? Par le prosélytisme. Quels sont les outils de ce prosélytisme religieux ? Les signes ostentatoires religieux : voile, jilbeb, burqa, niqab, quemis, barbe…

Nous sommes en face d'un gouvernement incapable de prendre ses responsabilités sur des sujets aussi importants que la laïcité et la montée du communautarisme. Ce qui est un scandale non seulement dans l'interprétation de ce qu'est la laïcité mais également vis-à-vis de l'égalité homme-femme. L'attitude de démission constante de la gauche mais aussi de certains caciques de droite à l'égard du voile est consternante. Baissons les yeux, faisons comme si elles ne portaient rien… après tout, ce n'est pas notre affaire, « c'est leur culture » ! Quelle médiocrité et quelle condescendance néocoloniale.

Marianne ne reçoit pas ses ennemis à sa table

Au début du mois de juin 2015, le ministre des Cultes, Bernard Cazeneuve, et Manuel Valls recevaient en grande pompe des représentants de la « communauté musulmane » place Beauvau. Ce ne sont pas moins de 151 personnes qui ont été reçues pour débattre et mettre en place une nouvelle instance de « dialogue ». Le choix de ces personnes me laissa songeuse. On y retrouve les représentants du Conseil français du culte musulman, d'associations, des intellectuels et... très peu de femmes. J'ai regretté d'y voir des imams connus pour leurs positions extrémistes, leur proximité avec la mouvance des Frères musulmans. L'imam de Drancy Hassen Chalghoumi a été bousculé devant les caméras de télévision par un jeune qui l'a pris à partie et lui a refusé le micro. Voilà les manières et la tolérance de ces « représentants » reçus place Beauvau.

Aujourd'hui, ils peuvent se pavaner et s'enorgueillir d'avoir été reçus par le gouvernement Valls et cela est une honte. Les femmes présentes étaient majoritairement voilées, une façon d'inscrire dans l'esprit que la norme, chez les musulmanes, est d'être voilée. Remercions messieurs Cazeneuve et Valls, qui, de cette manière, compliquent la marche vers la liberté de celles qui tentent chaque jour de s'extraire du poids des traditions et du patriarcat qui fait des femmes d'éternelles mineures, inférieures à l'homme-roi. La France de 2015 promeut donc la femme musulmane voilée, triste évolution. Les associations de lutte contre l'islamophobie étaient aussi en bonne place, celles-là mêmes qui sont toujours promptes à remettre en question le travail de la police, des enseignants, des politiques dès qu'ils émettent la moindre critique vis-à-vis d'un comportement jugé prosélyte ou contraire à la loi. Le Collectif contre l'islamophobie en France, dans un communiqué post-attentat de Saint-Quentin-Fallavier, a déclaré : « Le danger ne réside pas dans les vaines tentatives de groupes armés de déstabiliser la République (…) le vrai danger réside du côté de ceux qui utilisent ces événements pour déverser leur haine contre une partie de la population qui est, de fait, celle qui paye le plus lourd tribut face au terrorisme. » (communiqué du 28 juin 2015).

Autrement dit, le danger n'est pas le terrorisme islamique mais l'islamophobie… D'autres, comme le site Al-Kanz, propriété d'un certain Fateh Kimouche, militant d'un islam rigoriste, promoteur du tout-halal (ce qui est son gagne-pain…) et de la hijra – départ des musulmans vers des terres d'islam –, avaient, immédiatement après la découverte de l'attentat de Saint-Quentin-Fallavier, envoyé un message twitter pour dire qu'il s'agissait d'un conflit salarié-employeur ! L'assassinat d'Hervé Cornara, sa décapitation, la mise en scène macabre, les deux drapeaux avec les inscriptions de la profession de foi musulmane et la tentative de faire exploser ce site classé SEVESO... tout cela n'était pour ce militant acharné du communautarisme et de l'islam radical qu'un simple conflit salarié-employeur. Son influence est importante et cette rumeur s'est propagée sur les réseaux sociaux auprès de la « muslimsphère », le rassemblement online de tous ceux qui se considèrent musulmans d'abord et avant tout. L'indécence n'a pas de limite, aucun mot pour la victime, aucune condamnation de l'assassin. Pourtant, cette indécence sans borne, cette remise en cause systématique des valeurs de la République et de notre modèle de société, n'a pas empêché les ministres Manuel Valls et Bernard Cazeneuve de les recevoir à la table de la République...

Cette invitation en tant que « représentant de la communauté musulmane » est une humiliation pour la République. Recevoir avec les honneurs ces ennemis de la République revient à rabaisser la France. Je ne reçois pas celui qui m'insulte, me méprise et œuvre pour briser mon modèle et mes valeurs. De retour chez eux, ils ne manqueront pas de se gausser d'avoir été reçus par les ministres... En les invitant, le gouvernement a augmenté leur influence et leur aura auprès des plus fragiles. « Je suis important, le ministre m'a reçu », voilà ce qu'ils diront. Le double jeu de la gauche est mortifère et creuse jour après jour la tombe de la République et de la laïcité. Il est d'ailleurs stupéfiant qu'à l'occasion de cette « réunion de dialogue avec les représentants de la communauté musulmanes », comme cela a été présenté par le ministère, les tables rondes n'aient pas traité les sujets qui préoccupent la communauté nationale et les musulmans qui en sont partie intégrante.

Aucun mot sur la montée du communauta-risme, aucun mot sur la prévention de la radi-calisation jihadiste, aucune mesure concernant les 90 mosquées et lieux de culte qui sont entre les mains des salafistes en France. Ces sujets auraient « heurté » les participants. Alors, le ministère a cédé… préférant les passer sous silence, les glisser sous le tapis, afin d'évoquer « l'image de l'islam en France », « la lutte contre l'islamophobie ». Encore une belle illustration du louvoiement de la gauche sur ces sujets qui engagent l'avenir de la France.

Comment peut-on accorder du crédit à cette gauche qui fait mille courbettes aux extrémistes religieux et, dans le même temps, est capable de nous expliquer qu'elle est mobilisée pour lutter contre le terrorisme ? Comment lui faire confiance quand elle dit qu'elle expulsera les imams radi-caux alors que certains sont reçus à Beauvau ?

La gauche n'est plus crédible aujourd'hui dans la lutte contre le terrorisme et la protection des Français.

Qu'importe, l'objectif n'est pas de terrasser l'islam radical et ses promoteurs, l'objectif pour la gauche est d'amadouer ses leaders pour en faire les VRP de la politique gouvernementale auprès des électeurs de confession musulmane et issus de l'immigration. Il se murmure qu'ils seraient entre 5 et 10 millions… Quelle aubaine, quelle réserve de voix. Le peuple de gauche, accablé par le chômage, l'asphyxie fiscale, le déclassement et la détresse identitaire dans les quartiers populaires a quitté un PS hors sol pour rejoindre les rangs du FN, qui n'est jamais aussi fort que lorsque la gauche est au pouvoir. Cette évolution n'est pas un sujet d'inquiétude pour la gauche. Aucune mesure n'est prise pour les retenir car le PS a trouvé chez « les musulmans » et dans les « quartiers » son nouveau peuple de gauche. Ainsi, l'objectif du gouvernement socialiste n'est pas l'éradication de l'islam radical et le retour de l'autorité républicaine, mais seulement la victoire en 2017. Pour cela, ils n'hésitent pas, cyniquement, froidement, à sacrifier la République pour récupérer les voix « des musulmans »… 2017 se prépare, à n'importe quel prix.

Marianne n'invite pas ses ennemis sur les chaînes du service public

Le service public audiovisuel est assez décevant car, comme beaucoup de Français, souvent je préfère éteindre mon poste, regarder les chaînes d'info en continu ou mettre un bon DVD. Rares sont les bons films, les documentaires sont réservés aux insomniaques et les émissions d'« entertainment » manquent d'originalité, avec encore et toujours les mêmes têtes, les mêmes débats, les mêmes discours. Les chaînes du service public devraient faire exception en ayant pour mission d'élever les esprits, de promouvoir les valeurs de la République à travers leurs programmes et ainsi participer au développement d'un certain amour de la Nation.

Chaque année, à l'occasion de la fin du ramadan, France 2 programme « La nuit du ramadan ». À cette occasion, plusieurs artistes sont invités pour célébrer cette fête religieuse. J'insiste sur le fait que c'est bel et bien une fête religieuse et non simplement « culturelle ». Glisser du religieux au culturel permet d'atténuer l'entorse à la laïcité que commet la chaîne... de mieux contourner les défenseurs de la laïcité. Mais nous ne sommes pas dupes, il s'agit bien d'un événement qui ne devrait pas être célébré chaque année sur une chaîne du service public car la République est laïque et les chaînes du service public doivent également l'être. Y a-t-il une émission spécial Kippour ou Pessah sur France 2? Je ne le crois pas.

Il y a un juste milieu à trouver car la laïcité ce n'est pas de l'anticléricalisme ou de la chasse au curé et au religieux. Aussi, je suis favorable aux émissions du dimanche sur les quatre grandes religions en France mais je suis défavorable à ce qu'une fête religieuse fasse à ce point l'objet de célébration sur une chaîne du service public. Par ailleurs, je condamne les programmateurs de l'émission du mois de juillet 2015 car ils ont permis à un rappeur, Médine, qui fait dans son morceau « Don't Laïk » l'apologie du jihad, de la charia, de la burqa et appelle au meurtre de tous les défenseurs de la laïcité. Grâce aux programmateurs de ladite émission il a eu l'occasion d'exprimer sa haine devant des millions de téléspectateurs lors d'une émission de grande écoute. Inviter cet ennemi de la France, adepte de la quenelle, ami de Dieudonné, est une offense à l'endroit des victimes de janvier 2015.

Médine invité sur France 2, c'est comme inviter les djihadistes à venir prendre le micro pour menacer la France et les applaudir. Voilà ce qu'a fait France Télévisions à l'occasion de cette « Nuit du ramadan » tout juste six mois après les attentats. Delphine Ernotte, nouvelle directrice générale, n'a pas eu un mot d'excuse pour les téléspectateurs, pas un mot pour condamner les programmateurs. Le CSA n'a pas non plus condamné, ni rappelé à l'ordre France Télévisions. Par leur négligence, les programmateurs et les dirigeants de France Télévisions ont donné du crédit à ce rappeur. Par leur complaisance, ils ont participé à diffuser le message que la France est une candide masochiste, prête à tendre l'autre joue, car elle déroule le tapis rouge à ceux qui ne rêvent pourtant que d'une chose : sa mort. France, réveille-toi !

Marianne combat le racisme mais ne reconnaît pas l'islamophobie

L'islamophobie n'existe pas en France. L'islamophobie a vocation à défendre l'islamisme, dogme politico-religieux, en sacrifiant les musulmans. L'islamophobie a vocation à enfermer les musulmans de France dans leur « identité » qui ne serait que religieuse, les exclure de la communauté nationale pour en faire des sujets aux ordres de l'islamisme. S'il peut exister du racisme en France, je maintiens qu'il n'existe pas de phobie de l'islam. Si certains Français commencent à avoir une peur et une incompréhension de l'islam, comment leur en vouloir tant le spectacle que donne à voir cette religion gangrénée par ses extrémistes est effrayant, tant

129

la vue de ces femmes enfermées dans le statut d'objet, de mineure, de prisonnière de ce linceul qui prône la mort sociale a de quoi choquer et écoeurer toute personne éprise de justice, de liberté et refusant de vivre sans voir l'autre.

Longtemps la France a été crédule, acceptant tout et n'importe quoi au nom de l'antiracisme. L'époque de la crédulité doit désormais être derrière nous. Et les sujets doivent, sans crainte, sans hystérie, sans lâcheté, être posés sur la table. Oui, il y a du racisme, comme partout d'ailleurs, et il faut le combattre et le condamner avec la plus grande fermeté. Ce racisme peut être un racisme anti-arabe ou anti-africain, mais en aucun cas antimusulman. Comment une personne d'origine maghrébine, mais athée ou catholique, pourrait-elle aujourd'hui voir sa plainte entendue si le racisme est confisqué par le religieux ? Oui, on peut être arabe et agnostique, athée ou converti à une autre religion. Avec l'islamophobie qui prend le dessus sur la lutte contre le racisme, cette possibilité est retirée aux victimes. Elles sont rappelées immédiatement à ce qui est censé être l'essence de leur personne, l'essence de leur culture, avec l'interdiction d'évoluer, de choisir. Le concept d'islamophobie est un poison pour la République, les relations entre les citoyens et le débat public. L'islamophobie, c'est le nouvel opium du peuple que l'on déverse afin de calmer les esprits, de faire preuve de

Disons-le sans peur, sans provocation, avec responsabilité. Certains imams radicaux actuellement, en France et dans le monde, sont foncièrement antisémites. Les banlieues deviennent antisémites. Un antisémitisme crasse, revanchard, plein de jalousie sociale et de fantasmes. Pour eux, tout ce qui peut saper le poids supposé de la communauté juive dans la sphère publique doit être utilisé. Selon eux, l'islamophobie est l'une de ces armes qui permet de relativiser la douleur des juifs et la réalité de la Shoah. Immonde compétition des mémoires. Ainsi, tout ce qui leur permet de nier l'antisémitisme en France et dans le monde est mis en œuvre... On remarque d'ailleurs que l'étendard de l'islamophobie a immédiatement été brandi après les attentats, alors que les victimes de l'Hypercacher étaient juives et ont été tuées parce qu'elles étaient juives. Ne l'oublions pas. Lorsque les chiffres des actes antisémites sont publiés, dans lesquels on évoque des passages à tabac, des agressions, immédiatement les associations et micro-« observatoires » de lutte contre l'islamophobie brandissent des chiffres, à la fiabilité pourtant remise en question par de nombreux observateurs. Évidemment, les médias relaient cette propagande qui a pour objectif de créer une compétition des souffrances. Il s'agit d'éviter de laisser le « monopole » de la douleur à la « communauté juive ». Les militants des associations « contre l'islamophobie » aiment fouiller l'histoire pour n'en retenir que ce qui nous divise et ouvre les blessures du passé. Dans leurs récits, la guerre d'Algérie se mélange au conflit israélo-palestien, à l'apartheid et à Sarajevo… Tout cela dans le but d'entretenir la haine de l'autre, notamment chez les plus jeunes, de développer un esprit de rejet de la France, un sentiment d'injustice face à l'histoire et aux juifs et, surtout, d'éviter que cette génération ne se fonde dans la communauté nationale et s'accepte vraiment et pleinement comme française.

Marianne relève le défi
de l'islam de France

*Marianne accompagne les musulmans
dans la création d'un islam de France*

La République garantit la pratique de la foi de chacun. Mais certaines pratiques doivent être rejetées en bloc par les dignitaires musulmans en France et les Français de confession musulmane – le port de vêtements confessionnels, la pression dans certaines écoles contre les instituteurs pour demander à ce que telle marque de bonbons ne soit plus proposée lors des goûters d'enfants car ils contiendraient de la gélatine de porc, les demandes de salles de prière dans les entreprises, le refus de manger la viande (même de bœuf ou d'agneau) à la cantine car elle n'est pas confessionnelle, le refus de travailler car c'est le ramadan, le refus de prendre son poste de chauffeur de bus car une femme l'occupait juste avant, le refus de salles de pause mixtes – autant d'exemples et de pratiques que nous ne pouvons tolérer sur notre territoire.

La laïcité est un principe non évolutif. Plus qu'un principe, c'est une règle intangible du vivre ensemble dans la République. Ce n'est pas à la laïcité de s'adapter aux contraintes d'une société pluriconfessionnelle, mais à cette société de s'adapter aux contraintes de la laïcité. La République est faite de droits et de devoirs, tous les citoyens doivent s'y conformer, notamment en ce qui concerne le respect de l'égalité homme-femme. Au nom de cette égalité homme-femme, le voile, tout comme le hijab et la burqa, qui est le marqueur de la soumission des femmes aux hommes, ne peuvent être tolérés dans l'espace public et social collectif. Tout simplement parce qu'ils ne correspondent pas à nos valeurs issues des Lumières, notamment l'égalité. Par espace public et social, j'entends les services publics naturellement mais également les universités et les entreprises.

Pour améliorer les relations avec les musulmans, il faut que l'État puisse avoir des « représentants », des interlocuteurs privilégiés. Alors, pour se placer, certains se proclament représentants des « musulmans de France » et parlent à tout-va d'islamophobie... Ils sont tous à la tête d'un « observatoire », « comité », « conseil » ou d'une « coordination » leur permettant de faire parler d'eux, de se donner un poids « dans la communauté », « de peser ». J'ai de plus en plus de mal à supporter ces « représentants »

135

d'eux-mêmes, au français approximatif, qui véhiculent, malgré leur suffisance, l'image de l'immigré qui n'a pas encore achevé son intégration. Image d'Épinal, tout droit venue d'un autre siècle, si loin de la réalité de la majorité des personnes issues de l'immigration nord-africaine. N'y a-t-il pas de personnalités, d'intellectuels au sein de cette « communauté » pour faire ce travail de représentation ? J'aimerais, dans l'intérêt des Français de confession musulmane, que ces personnalités fidèles à la France, sans double allégeance, émergent rapidement.

Lors de la marche du 11 janvier, j'étais sur le plateau de France 2 pour commenter ce mouvement « d'union nationale ». L'imam présent s'était empressé de dire qu'il ne fallait « pas parler d'acte islamiste », c'était « terroriste », rien de plus… Je n'ai pas pu retenir ma colère face à cette tentative d'enfumage et ce ramassis de lâchetés. Comment qualifier autrement un acte dont les auteurs se revendiquent de l'État islamique et crient « Allah Akbar » en donnant la mort ? Ce n'est pas du terrorisme d'indépendantistes basques ou corses, ce n'est pas l'ETA ou les Brigades rouges, c'est du terrorisme islamique et cela est bel et bien une dérive de l'islam. Ce n'est pas l'islam, certes, mais c'est une dérive de l'islam. La répétition ici est volontaire, c'est une tentative – certainement vaine – d'éviter tout détournement de mon propos.

Que voulez-vous tirer de ces soi-disant « sages » qui ne prennent pas leurs responsabilités ? Qui ne perdent jamais une occasion de se placer politiquement et rappellent qu'ils ont des « engagements de citoyens »… ou qu'ils pèsent en termes, de voix. La République et les Français de confession musulmane méritent tellement mieux. Je me souviens de ce membre d'un « observatoire » obsédé par son carnet d'adresses, les invitations aux cocktails sous les dorures de la République et la remise d'une Légion d'honneur. Quand je vois certains énergumènes arborer cette haute distinction sur le col de leur veste… je repense à tous ceux qui n'ont pas souhaité la recevoir, ne s'estimant pas à la hauteur du sacrifice et de l'apport à la Nation que cette décoration suggère. Seuls les grands s'encombrent de telles considérations…

Le culte musulman sera difficilement représentable. Il y a presque autant d'islams qu'il y a d'imams. L'interprétation des textes pose problème, chacun y va de son « hadîth », de sa traduction et peu nombreux sont les experts et les érudits dans les lieux de prière et les mosquées des quartiers à pouvoir « challenger » les dires du religieux. Les prêches en arabe posent problème à l'heure où les mosquées sont remplies de personnes ne maîtrisant pas l'arabe, car nées en

France ou converties. Je regrette que l'ouverture de la prière du vendredi ne se fasse pas également par un remerciement à la République. Les mosquées sont souvent situées dans des zones urbaines défavorisées. Ces zones concentrent les difficultés et sont les lieux du délitement de la cohésion nationale et des liens sociaux. Aussi, le religieux y trouve un écho fort, il rassemble, donne une ligne de conduite, un sens à une vie difficile aux perspectives restreintes.

Il me semble primordial que, dans ces conditions, les responsables religieux contribuent à la promotion du sentiment d'attachement à la République et à son respect. Un rappel hebdomadaire, sincère, par une autorité religieuse fera, auprès de certains publics, plus que n'importe quelle campagne de communication gouvernementale. C'est regrettable pour la laïque que je suis, mais c'est ainsi. Par ailleurs, je regrette l'absence de femmes et de laïcs dans les instances « représentatives des musulmans de France ». Les Français de confession ou de culture musulmanes sont divers et, pour moitié, comme dans l'ensemble de l'humanité, ce sont des femmes. On ne fait pas le bonheur sur terre avec la moitié du ciel, disait Mao. Pourquoi ces instances seraient-elles réservées exclusivement à des hommes religieux ?

Les religions ne sont pas les amies des femmes. Les grandes religions ont cela de commun : elles réservent une place ingrate aux femmes et leur interdisent la réflexion. Est-ce la religion ou l'interprétation de la religion par l'homme ? Je ne sais pas mais une chose est certaine, c'est que la lecture analytique des textes sacrés est la prérogative exclusive des hommes, qui ne se gênent pas pour les interpréter continuellement dans le sens de moins de liberté pour les femmes.

Delphine Horvilleur est la première femme rabbin de France. Pour le devenir, elle a dû s'expatrier à New York pour étudier au séminaire du mouvement réformé Hebrew Union College. Elle y reçoit son ordination rabbinique en mai 2008 et exerce à Paris au Mouvement juif libéral de France. Cette femme rabbin apporte un regard nouveau et plus juste sur l'interprétation des textes sacrés, qu'il ne faut pas enfermer dans leur sens premier mais comprendre dans le cadre d'un contexte. Depuis des siècles, les hommes ont cédé à la tentation d'instrumentaliser les écrits sacrés pour soumettre les femmes. La pudeur est toujours avancée comme justificatif à toutes ces privations de liberté. Delphine Horvilleur l'évoque sans détour : « Le voile islamique n'est pas le seul à sous-entendre que le corps découvert des femmes contaminerait les hommes. Dans toutes les religions, les fondamentalistes s'emparent de la pudeur, et plus particulièrement celle des femmes, pour tenter de les contenir et les restreindre aux frontières de leur corps, comme si leurs fonctions physiologiques les définissaient entièrement et devaient être placées sous contrôle, enveloppées par la loi » (*Psychologie Magazine*, décembre 2013). J'aimerais voir plus de Delphine Horvilleur dans toutes les religions, cela nous permettrait peut-être de dépoussiérer la vision archaïque de la place de la femme dans la société, du rapport à son corps et à sa liberté que ne portent pas les interprétations majoritairement promues par les discours religieux.

Le défi de la création d'un islam de France

Nous savons qu'il y a des difficultés liées aux dérives du culte musulman. Le problème de l'islam est qu'il n'y a pas de clergé et c'est dans l'optique d'avoir un interlocuteur direct avec qui traiter des questions du culte, que le CFCM a été créé. Le processus avait été lancé par Jean-Pierre Chevènement, alors ministre de l'Intérieur chargé des cultes. La difficulté était immense tant les différends entre les « obédiences » étaient forts. Nicolas Sarkozy est parvenu à trouver un terrain d'entente et à finaliser la création du Conseil français du culte musulman. C'était une première étape indispensable. L'islam a des pratiques qui sont intangibles, comme celle du ramadan, de ne pas manger de porc, de faire ses prières. Ce sont des pratiques communes à tous les musulmans pratiquants dans le monde. À côté des ces pratiques, il y a une partie que je qualifierais de « variables », celle-ci sont différentes d'un pays à l'autre, souvent influencées par la culture et les traditions locales. Ainsi, la pratique de l'islam en Indonésie, dans sa partie « variable », est différente de celle du Pakistan, de l'Arabie Saoudite ou de l'Algérie. De cette manière, il est tout à fait possible, nécessaire et urgent de mettre en place un islam de France qui sera différent – pour la partie variable de sa pratique – de celui d'autres pays.

L'islam de France doit s'adapter à la République, à la France et à son mode de vie. Nous avons découvert la burqa lors du conflit en Afghanistan, la révolution iranienne a imposé aux femmes le port du niqab, en Arabie Saoudite les femmes ne peuvent pas sortir sans chaperon, chaque pays a ses règles qu'il estime légitimes car tirées d'une interprétation du livre sacré ou de sa « tradition ». En France, notre tradition est celle de l'égalité homme-femme, celle de la République protectrice et émancipatrice grâce, notamment, à la laïcité. L'islam de France doit se conformer à ces traditions. En revanche, personne en France n'obligera un musulman à manger du porc « au nom de la tradition française », si cela était le cas la justice le condamnerait fortement, de même personne ne refusera à un musulman de faire le ramadan ou de prier chez lui ou à la mosquée.

Le prosélytisme s'accentue dans tous les secteurs de la société, école, université, entreprise, commerce. Les musulmans et les autorités musulmanes doivent s'y opposer fermement. Ces comportements qui sont le fait d'une minorité agissante et organisée prennent au piège la majorité silencieuse, qui devient de fait complice aux yeux de la communauté nationale. La République a beaucoup toléré, beaucoup compris, beaucoup accepté. Aujourd'hui, elle doit apprendre à dire non et se reprendre en main. Ce n'est plus à la République de s'adapter, c'est aux minorités de s'adapter. Ce n'est plus au dernier arrivé de dicter sa loi, mais c'est à la loi de s'imposer à lui. Ce n'est plus aux minorités réclamantes, aux discours culpabilisants et victimaires, de faire plier la République, c'est à ces minorités d'agir pour s'adapter et embrasser une certaine idée de la vie ensemble, de la concorde en France. C'est uniquement sur ces bases et ce contrat moral qu'un islam de France pourra émerger.

Marianne féministe

RÉAC : réaction excessive aux cons !

Quelques femmes journalistes ont signé dans *Libération* le 4 mai 2015 une tribune pour dénoncer le sexisme des hommes politiques... Je soutiens leur démarche car je sais à quel point il peut être difficile, lorsqu'on est face à ce que j'appelle un homme du passé, de se faire entendre si l'on est une femme. Pire encore si l'on est jeune. Cette tribune eut un écho particulier chez moi à la suite de l'un des premiers portraits que me consacrait un journaliste sur France Culture, la chaîne de la radio publique française ayant pour vocation d'apporter de la culture sur les ondes... Quel choc lorsque – par le plus pur hasard – je découvris en buvant mon café avec mon mari ce portrait radiophonique... « Elle n'a pas fait l'ENA mais son corsage ajusté révèle une ascension sociale... » Misogynie, condescendance, sous-entendus douteux. Me voilà estomaquée, révoltée par ce traitement injuste et injustifié.

Me voilà publiquement traitée de la manière la plus sexiste qui soit par ce commentateur.

Alors que je me bats chaque jour en redoublant de sérieux, de travail, et de rigueur, ce journaliste déploie des trésors de misogynie devant des milliers d'auditeurs et se permet de me réduire à mon décolleté. Peut-être est-ce l'expression d'une frustration refoulée qu'il a décidé de venger à l'antenne ? Ce fut si insupportable à entendre qu'une auditrice a interpellé le journaliste en question sur le site de la radio pour lui faire part de sa colère et du caractère déplacé de ses propos. Il s'est pitoyablement expliqué en indiquant que ma « mise » soignée démontrait que j'avais intégré les codes vestimentaires d'un monde qui n'était pas le mien et que c'était de cette manière que j'avais réussi à me constituer un réseau… Voilà, tout est dit… Pour une femme, tout ne tiendrait donc qu'au look !

Pourtant, le jour de mon entretien avec un groupe de journalistes auquel il s'était joint sans prévenir, chose exceptionnelle, je portais un jean, une chemise et une veste. Quelle « mise » ! Qu'aurait-il dit si j'avais choisi de porter mes habituelles jupes ou robes avec mes talons hauts ? « Ses minijupes révèlent son ascension sociale » ? Au-delà de ma personne, ce sont les personnes d'origine sociale modeste qu'il méprisait et particulièrement les femmes

issues de l'immigration. En effet, dans l'esprit
de ce petit monsieur, à la mise peu soignée, au
crâne dégarni et sans le moindre charisme, le
peuple est dépourvu de goût et d'élégance.
L'élégance est innée, nul besoin de Dior pour
être chic. Comme il n'est nullement nécessaire d'avoir « un corsage ajusté » pour faire
des études, écrire ou avoir des responsabilités
politiques. Que voulait-il nier à travers ce portrait grossier, méprisant, aux sous-entendus
douteux ? Je pense que ce qui dérange – ceux
qui pensent toujours du bon côté – est mon
refus de me laisser enfermer dans une case, ma
volonté de ne jamais être là où le déterminisme
voudrait que je sois et de tenter d'éviter toute
aliénation.

En entendant cette succession de petites
mesquineries, je me suis donc demandé si je
ne devais pas moi-même me fendre d'une tribune pour dénoncer le sexisme chez les journalistes. L'envie ne manquait pas mais la raison
a rapidement repris le dessus. Je devais éviter
de débuter mon parcours de porte-parole par
une plainte qui serait perçue comme un aveu
de faiblesse. Ai-je reçu un soutien des « féministes » ? Évidemment non. La situation aurait
sans aucun doute été différente si j'avais été
de gauche, le bon côté... Les réseaux sociaux
se seraient mobilisés. Mais je suis et demeure
une femme de droite, alors je peux toujours

attendre. La solidarité, l'indignation après des attaques sexistes, il n'y a que les femmes politiques de gauche qui y ont droit. Belle illustration de l'indignation sélective et dogmatique des féministes d'aujourd'hui. J'avais décidé de laisser cet imbécile à sa bêtise. La vie politique est une longue route pleine de combats, d'embûches et de coups bas. Allez, j'encaisse ! Il n'est pas le premier et il ne sera certainement pas le dernier.

Au fond, à travers moi ce sont les petites gens qui évoluent socialement que ces personnes méprisent. Peut-être est-ce le snobisme de celui qui a été biberonné à Bourdieu ? La condescendance du petit Parisien sauce *Télérama* qui méprise le beauf qui ose évoquer les questions de sécurité, d'intégration et de laïcité ? Évidemment, pour eux, c'est « plouc » d'oser parler des souffrances de son quotidien. Les pauvres et les Français moyens sont priés de se taire. La communauté de la bien-pensance entend dicter au petit peuple ce qui est tolérable et ce qui ne l'est pas. Ils ne supportent pas ceux qui refusent de rester à la place qu'on leur a assignée, de penser comme on voudrait qu'ils pensent sans chercher à remettre en question, à évoluer. Nous devons être déterminés par notre naissance, notre culture, notre famille, notre religion, notre sexe. Femme, tu prôneras un féminisme victimaire. Musulmane,

tu défendras le voile et hurleras à l'islamophobie de la société française. Né à l'étranger, tu te
révolteras contre le racisme, la politique migra-
toire, lira Frantz Fanon et réclameras plus de
« diversité ». Pauvre ? Tu seras de gauche, refu-
seras les grandes écoles, « fabrique de l'élite »
et des « dominants ». Le français n'est pas ta
langue maternelle ? Tu parleras français avec un
accent des cités, ponctué de « t'as vu » « vas-y »
ou de « wech ».

La mobilité sociale, ou simplement intellectuelle, est considérée comme une trahison :
trahison de classe, de condition, d'ethnie, de
religion. Il faut être dans la « case », telle est
l'injonction des bien-pensants. Il ne faut pas
déranger les amateurs du « prêt-à-penser »,
pour eux tout est figé. C'est ainsi. Surtout ne
pas mettre en perspective, surtout ne pas com-
plexifier un raisonnement car ils risqueraient
de perdre leurs repères... De toute façon, ils
sont persuadés de tout savoir, tout comprendre.
Ils ont lu quelques livres de sociologie à la fac,
entre deux cigarettes roulées, deux concepts
sociologiques auxquels ils s'arcboutent pour
éviter de penser par eux-mêmes. Évidemment,
ceux qui refusent ces cases sont des arrivistes,
des prétentieux, des réacs. RÉAC ! Dernière ter-
minologie à la mode dans le petit monde des
donneurs de leçon, des éducateurs d'opinion :
RÉAC. J'accepte d'être une réac, mais ma

définition est différente : Réaction Excessive Aux Cons.

Marianne féministe pragmatique

La gauche aime s'arroger des combats, surtout sociétaux, pour mieux défendre cette image de « monopole du cœur » et de générosité, de progrès qu'elle entretient avec délectation depuis plus de quarante ans. Le féminisme fait partie de ces combats qu'il convient de considérer de gauche et que l'on refuse à toute personnalité de droite. Pourtant, l'histoire démontre que les avancées majeures en la matière ont été portées par des personnalités de droite. La légalisation de l'interruption volontaire de grossesse a été menée par Simone Veil, la création du premier ministère de la Condition féminine s'est faite sous la présidence de Valéry Giscard d'Estaing et il a été confié à Françoise Giroud, les mesures sur les quotas dans la haute fonction publique et les conseils d'administration des entreprises qui permettent aux femmes de casser le plafond de verre dont elles sont parfois victimes ont été mises en place sous le quinquennat de Nicolas Sarkozy, tout comme la loi qui interdit le port de la burqa, que certaines « féministes » de gauche n'avaient pas soutenue...

Aussi, je n'ai pas été surprise par l'approche du droit des femmes et de l'égalité homme-femme de Najat Vallaud-Belkacem lorsqu'elle était ministre des Droits des femmes, et que Nadine Morano avait fait part de son indignation en voyant une femme en niqab sur une plage du sud de la France. J'ai été surprise et inquiète pour la cause des femmes en France, combat que la gauche veut s'arroger en montrant immédiatement du doigt toute personne de droite qui lutte réellement pour l'égalité homme-femme. Pourtant, en tant que femme et féministe, face à une femme voilée, en pantalon, tunique à manches longues sur une plage ou en burqa, je ne peux m'empêcher de ressentir un sentiment d'injustice, de révolte et de peine. Plus encore lorsque ces filles, dès la puberté, sont soumises à la même rigueur vestimentaire. Difficile de rester insensible devant ces femmes condamnées à porter ce signe ostentatoire d'appartenance religieuse, telle une étoile jaune, même par 30 degrés, alors que leurs maris, leurs frères et leurs fils profitent librement des plaisirs d'un bain de mer et du soleil.

Najat Vallaud-Belkacem, qui avait usé de tous les moyens de communication pour s'ériger en grande prêtresse de l'égalité homme-femme, n'y voyait rien de choquant... Le relativisme culturel, le « politiquement correct » teinté de culpabilité post-coloniale permettraient donc de remettre en question toute action ou comportement qui porte atteinte à l'égalité, à la liberté, à la dignité de la personne. Les droits des femmes ne concerneraient donc plus les femmes musulmanes de France. En somme, le ministère des Droits des femmes sous Hollande est donc un ministère qui exclut les femmes musulmanes qui souffrent, réduites au silence, contraintes à porter le voile, le hijab, le niqab ou la burqa...

Les socialistes avanceront sûrement la liberté de conscience qui est garantie par la Constitution et que ces femmes respectent la loi, car leurs visages sont découverts et qu'elles se trouvent dans un lieu public. Toutefois, face à la liberté de conscience, c'est la liberté des femmes, l'égalité entre les hommes et les femmes, et le respect des valeurs de la France qui sont en jeu. La laïcité et l'attachement viscéral de la République pour l'égalité homme-femme ne font-ils plus le poids face à cette nouvelle forme de liberté de conscience nourrie au relativisme culturel? À cette allure, pourquoi lutter contre les mariages forcés ou l'excision, puisque ces pratiques peuvent aussi trouver des justifications dans le relativisme culturel et dans le respect de la culture de l'autre?

Esther Benbassa, sénatrice Europe Ecologie-Les Verts, a déclaré à la télévision, sans que cela suscite d'émoi particulier, que « les femmes (qui) mettent le voile pour être tranquilles dans leur cité » ont vraiment fait un choix. Le voile ou les insultes, le niqab ou les agressions… jusqu'à ce qu'elles cèdent. « Ces femmes ont choisi de porter le voile ou la burqa librement » Le croyez-vous ? Sincèrement ? Peut-on parler de choix libre et éclairé lorsque celui-ci résulte de pressions continues, quotidiennes, de la communauté et des religieux qui sont de plus en plus présents dans les quartiers oubliés de la République ? Peut-on véritablement parler de libre consentement ? Il s'agit de renoncement et de peur… Quel drame que des élus de la République, censés incarner nos valeurs, acceptent et justifient le chantage qui existe aujourd'hui dans certains quartiers de France. Il est scandaleux de les entendre justifier cette aliénation et cet emprisonnement des femmes par le fait qu'elles vivent dans un quartier difficile, où la liberté n'a plus le droit de cité, où les lois de la République doivent se plier à celles de petits caïds pseudo-religieux, totalement délinquants.

Les femmes musulmanes, celles qui se lèvent pour protester contre cette grande marche vers un nouveau Moyen Âge, sont abandonnées, parfois montrées du doigt et traitées d'« intégristes

de la laïcité », comme les femmes de l'associa-
tion « Femme sans voile » d'Aubervilliers. Les
droits des femmes, oui, mais pas pour toutes les
femmes. Voilà comment on pourrait résumer la
politique du gouvernement qui préfère la politique de l'autruche à la politique du courage.
Ces femmes rêvent de liberté et d'égalité, mais
elles ont été abandonnées par des politiques
lâches et méprisants... D'autres laissent faire
dans ce qu'ils considèrent comme une réserve
d'Indiens, un territoire concédé où l'on tolère
tout pour ne pas perdre le vote communautaire. Ils préfèrent accepter l'inacceptable,
justifier l'injustifiable et sacrifier la France à
ces nouveaux barbares assoiffés de vengeance,
de soumission, dépourvus de spiritualité et de
culture.

Au milieu de tous ces enjeux, l'absence des
féministes frappe immédiatement. Elles se
terrent lorsque les débats sont difficiles. Elles
sont des autruches et leurs « happenings »
donnent le sentiment qu'elles sont à côté du
sujet. Elles ont l'art de la tempête dans un verre
d'eau. C'est un microcosme de jeunes filles
souvent issues de la classe moyenne, voire de
la petite bourgeoisie. Elles aiment se mobiliser sur des sujets qui n'engagent pas de révolution et ne demandent aucun courage. Le
déni de réalité et la politique de l'autruche

sont typiques de ce féminisme petit-bourgeois, couard et sans valeur, qui préfère oublier certaines femmes, ici, en France. Elles piétinent la laïcité, évitent de s'engager dans un combat qui est pourtant aujourd'hui le seul qui exige une mobilisation sans faille et un courage hors du commun dans la lignée des grandes féministes. Elles méprisent les femmes « de la France d'en bas », dont les conditions de vie se dégradent au fur et à mesure que le repli identitaire et l'islamisme progressent. Elles préfèrent Asia Bibi, Malala ou les jeunes filles de Boko Haram… c'est plus exotique, plus chic, et surtout ça se passe loin, très loin. Ça n'engage pas trop mais ça donne une posture de « femme engagée pour les femmes ». Elles portent leurs engagements comme on porte le dernier pull over-size de chez Zadig et Voltaire. Une « manif' au Troca », de jolis clichés, quelques déclarations indignées devant les caméras. Voilà, elles ont leur frisson annuel. L'engagement « pour les femmes » leur offre le supplément d'âme qui manque à leur vie bien rangée. Une forme d'onanisme intellectuel conduisant à un orgasme mesquin et tristement autocentré.

Pourtant des Asia Bibi et des Malala, il y en a beaucoup en France, de l'autre côté du périphérique, mais celles-ci, ce n'est « pas pareil », « c'est leur choix, faut respecter leur religion », « faut pas stigmatiser ».

La nouvelle police religieuse entend dire ce qui « se fait » ou « ne se fait pas ». L'omerta des quartiers s'est propagée à l'ensemble de la société française. Ceux qui osent dénoncer ces comportements intolérables sont ceux qui ont tort, qui « agitent les mauvais démons », « tirent des conclusions hâtives »… Pourtant dans certaines piscines municipales, endroits où la police religieuse aime faire la loi, de nombreux conflits ont eu lieu avec des jeunes hommes qui harcelaient les jeunes filles qu'ils jugent « impudiques » et « provocatrices » car venues se détendre et trouver un peu de fraîcheur en maillot de bain. L'édile d'une célèbre ville du sud de la France me racontait que, quelques jours après l'inauguration du nouveau centre nautique, il avait eu à gérer le cas d'une jeune femme qui voulait venir nager en burkini !

La France est à la croisée des chemins, ces évènements toujours plus nombreux et toujours plus étouffés sont les illustrations du schisme social et culturel que vit notre pays. Deux France s'opposent chaque jour un peu plus, celle de la liberté et celle des puritains obscurantistes. En été, c'est la France des seins nus sur la plage face à celle des burkinis. Les seconds semblent prendre l'ascendant sur les premiers. Désormais, très rares sont les femmes seins nus sur les plages de la Côte d'Azur… On peut simplement y voir la fin d'une mode…

Mais le phénomène de « pudeur » est générationnel. De manière diffuse, un nouveau puritanisme s'est transmis à toutes les strates de la société. Les jeunes filles des années 2000 ne pratiquent pas les seins nus comme leurs mères. Tout est pudeur, tout est concentré autour de la maîtrise du corps de la femme. Forcément impudique, impur, provocant. Il est l'objet de toutes les convoitises et de toutes les haines. Je pense que la victoire contre l'obscurantisme passera aussi par la capacité des femmes à s'approprier leur corps, à le libérer de la pression des religieux, de la société, des hommes. Mon corps m'appartient et mon corps n'est pas impur. Une paire de jambes n'est pas une provocation, ni une invitation. Ces femmes qui se couvrent sur les plages, soit par « choix », soit par oppression, alors que leurs maris sont en maillot de bain, renvoient à deux types de messages, celui de la supériorité en indiquant qu'elles sont pures et n'exposent pas leur corps au monde, et celui du mépris, en indiquant que celles qui ne se cachent pas sont des femmes de petite vertu, impudiques, provocatrices. Ainsi, on comprend pourquoi certains imams d'Arabie Saoudite pensent que les femmes occidentales méritent d'être violées et que leur vie a une moindre valeur.

Aux abonnées absentes de ces combats, les féministes. Elles ont été très silencieuses, elles si promptes à défiler dès le premier mot de travers. Je pense que beaucoup d'entre elles ont intégré les nouveaux codes du puritanisme. Leur combat est hors sol et guidé par une volonté de moraliser, à pas feutrés, notre société : obligation de nier les différences de « genre » (parler de « sexe », ce n'est pas moral…), contrôle du contenu des programmes scolaires, contrôle de l'humour, contrôle des pratiques sexuelles (campagne « Osez le clito ! »), contrôle de la répartition des tâches domestiques au sein du couple, contrôle et sanction des écarts de langage relatifs à la féminisation des fonctions à l'Assemblée… Attention, dites madame « la sous-préfète » et non madame le sous-préfet ! Écrivez « militant-e-s », ne dites plus « parents » mais « responsables de l'enfant »… Que de beaux combats !

Le féminisme, c'est l'égalité pas l'égalitarisme, c'est la justice. Les différences entre les hommes et les femmes sont une richesse, qui ne doit pas engendrer de différences de traitement. Elles ne doivent pas être lissées, gommées, surtout lorsqu'il s'agit de différence sexuelle. Je nais femme, je deviens femme. Mon sexe n'est pas sociologique, il est naturel et physique.

Les féministes se fourvoient dans des combats d'arrière-garde, ridicules, inaudibles. Parmi ceux-là, il y a cette obsession de la règle grammaticale. Dans une France du texto et du tweet, où peu d'élèves maîtrisent parfaitement l'écrit même dans l'enseignement supérieur, elles veulent changer les règles de grammaire. Pour plus d'égalité entre les hommes et les femmes ! Un groupe de femmes parlementaires de gauche souhaite renommer la Déclaration des droits de l'Homme (tout le monde comprend que le H majuscule désigne l'ensemble de l'humanité) en Déclaration des Droits humains ! Extraordinaire avancée ! Historique ! Voilà le féminisme qui se contente des symboles mais ne met pas les mains dans le cambouis de la réalité. En mal de courage, elles préfèrent œuvrer dans les salons feutrés de la République. Pour les combats, elles préfèrent prendre de la hauteur sur le sujet, se laisser le temps de la réflexion avec des « experts », car ce sont des questions « si subtiles ». Le temps passe, la situation s'aggrave, mais rassurons-nous, elles, elles réfléchissent…

Marianne ne célèbre pas le 8 mars

Chaque année, à l'agenda politique figure le 8 mars. Il convient de faire une déclaration sur les femmes, avec un ton consterné sur les inégalités salariales entre les hommes et les femmes qui sont de l'ordre de 20 %. « C'est intolérable ! » Bon, très bien, le constat est fait, encore et encore… Chaque année, les mêmes constats (inégalités salariales constantes, absence de véritable politique de la petite enfance, entreprenariat au féminin balbutiant...). Cela prouve une chose : la Journée de la femme ne sert à rien en France.

Elle caricature le rôle et la place des femmes dans la société en les mettant au rang de minorité (ou de maladie ?) qu'il convient de célébrer une fois par an, afin d'être politiquement correct... C'est uniquement un temps médiatique fort, qui permet aux politiques et à certaines associations féministes de geindre sur des chiffres à la véracité scientifique plus que douteuse. Autrement dit, c'est le stéréotype même d'un sujet de marketing politique. On constate lors de cette journée que la plupart des associations féministes restent prudemment cantonnées à des sujets insolubles, tels que les inégalités salariales (sur lesquelles il est difficile d'avoir des chiffres et encore plus de mener des actions coercitives), la conciliation vie professionnelle-vie privée (qui dépend essentiellement de la bonne volonté des collectivités territoriales dans la mise en place d'une réelle politique de la petite enfance... surtout dans les grandes villes), ou bien encore les femmes et l'intégrisme religieux dans les pays arabes (il est toujours plus simple de s'investir sur des causes géographiquement lointaines, oubliant d'évoquer les sujets touchant la France, et sur lesquelles il n'y a strictement aucune possibilité d'action sauf à envahir lesdits pays !).

Le féminisme en France est un féminisme à bout de souffle, un féminisme couard, plus occupé à servir une idéologie politique que les femmes. Ce féminisme, issu de mai 68, est un féminisme trotsko-communiste, obnubilé par la lutte des classes... Ça fait pourtant longtemps que l'on a tourné la page de la lutte des classes ! Les sujets féministes ne manquent pas, par exemple l'échec de la contraception et l'explosion des IVG ou bien encore l'image dégradée des femmes à travers l'hyper-sexualisation de la télé-réalité.

Concernant l'IVG, la dernière étude la plus sérieuse menée sur le sujet a été dirigée par le Pr Israël Nisand, chef du service gynécologique du CHU de Strasbourg. Ce travail dresse un tableau inquiétant, pour ne pas dire édifiant, des questions autour de la sexualité des adolescentes. Si les grossesses adolescentes menées à terme ont tendance à diminuer légèrement (4 500 en 2010), les interruptions volontaires de grossesse (IVG) chez les mineures continuent d'augmenter, de 1 % à 5 % par an, depuis vingt-cinq ans. En 1990, on comptait 8 776 IVG de mineures. En 2009, les derniers chiffres font état de 11 930 IVG chez les 15-17 ans. S'y ajoutent les 17 693 IVG des 18-19 ans et les 52 360 IVG des 20-24 ans. « Ce sujet est un marqueur social, ce sont les enfants des milieux défavorisés qui sont les plus touchés », déclarait à l'époque les membres du gouvernement Fillon. Israël Nisand estimait qu'on pouvait réduire le nombre d'IVG chez les mineures des deux tiers, comme d'autres pays l'ont fait (soit 10 000 IVG en moins, sachant qu'une IVG coûte environ 500 euros). « Le tout est de savoir si, en France, on préfère payer des pilules ou des IVG », concluait le gynécologue.

Les IVG augmentent donc, notamment chez les mineures issues de milieux défavorisés, et tout cela se passe dans l'indifférence totale. La contraception est pourtant un sujet central du féminisme! L'augmentation du nombre d'IVG n'est plus une victoire pour la libération des femmes aujourd'hui, en France. L'avortement doit rester dans l'esprit défendu par Simone Veil, ministre de la Santé, qui a porté avec détermination et courage ce projet de loi. Lors de son discours du 26 novembre 1974 à l'Assemblée nationale, elle avait dit que « l'avortement doit rester l'exception, l'ultime recours pour des situations sans issue », poursuivant avec ce qui est toujours la dramatique réalité de l'avortement: « aucune femme ne recourt de gaîté de cœur à l'avortement, c'est toujours un drame, cela restera toujours un drame ». Quel échec de voir les chiffres de l'avortement chez les jeunes femmes progresser toujours plus. Pourtant, la contraception est aujourd'hui facile d'accès et se présente sous différentes formes. Cette progression dit le manque d'éducation à la santé, la pauvreté intellectuelle, financière et le manque de pédagogie sur la contraception auprès des plus jeunes. Quel drame et quel échec ! Je pense que nous pourrions d'urgence revoir la politique contraceptive et réfléchir à des partenariats avec l'industrie pharmaceutique pour assurer une vente à prix coûtant des contraceptifs à l'État, dans le cadre d'un plan national pour les mineures.

Quant à la montée en puissance de la télé-réalité et de l'image déplorable qu'elle donne de la femme, une femme-objet, sexualisée à outrance et à la merci des hommes et de leurs désirs, c'est un échec du féminisme. Notre société est clivée, paradoxale même, les nouveaux maîtres de la pudeur font face aux maîtres de la vulgarité. Une partie de la jeunesse perd ses repères. La télé-réalité a une influence importante sur les goûts, les habitudes, les comportements, le langage des jeunes générations. La télévision a un rôle social fort, hier elle avait l'ambition d'éduquer et d'apporter le savoir dans tous les salons. Aujourd'hui, avec la multiplication des émissions de télé-réalité, cette ambition laisse la place à la volonté de crétiniser. Or, les producteurs et diffuseurs ne doivent pas s'extraire de leurs responsabilités. Ils sont responsables, en partie, de la crétinisation d'une partie de la jeunesse et du développement d'une vision consumériste et superficielle de la vie et du rapport à l'autre. L'image des femmes dans les médias est un sujet féministe, pourtant encore une fois on ne peut que constater le silence des féministes. Cette problématique de représentation des femmes, pour elles, se réduit uniquement à une considération de carrière, à savoir à une plus grande présence de femmes à la tête d'émissions et d'expertes dans les débats. Certes, c'est un sujet important mais son impact sur notre société et son avenir reste mineur en comparaison aux ravages que crée la télé-réalité. Le « Bachelor » est l'ultime symbole de cette réification de la femme. On assiste à un jeu d'une incroyable perversion psychologique, dans lequel on voit un jeune homme faire ses courses au milieu de jeunes femmes prêtes à tout pour s'offrir à lui... Quel bel exemple pour nos adolescentes. Il y a urgence à agir et interdire ce type d'émission, car elles sont les plus regardées par les adolescents et constituent le socle de leurs représentations des rapports homme-femme.

À travers ces deux exemples, je crois que l'on peut dire que le combat féministe est loin d'être mort, mais qu'il mérite d'être réorienté de toute urgence, sous peine de sombrer dans la caricature et l'indifférence. Peut-être s'y trouve-t-il déjà car son silence complice, son esquive sur la laïcité l'a discrédité aux yeux de l'opinion publique. Est-il utile de rappeler que, sans laïcité, le féminisme ne peut exister?

Marianne universelle

Marianne refuse la dictature des minorités

La tolérance, comme l'égalité, a été dévoyée. Je crois en elle, mais je refuse de céder à la politique du « tout tolérance ». De la compréhension de l'autre pour mieux s'accepter « ensemble », nous sommes passés à la dictature de l'autre pour mieux s'oublier. La majorité doute, s'excuse d'être ce qu'elle est, la minorité exige. Le piège est là. Les grands slogans des manifestations de gauche sur fond de djembé et chants de Zebda « mo-ti-vés, mo-ti-vés » ont envahi les esprits et développé l'auto-censure en chacun d'entre nous. Nous n'osons plus penser, plus interroger, plus rire. C'est l'avènement d'une société de « petits bras-petits esprits ». Une société d'êtres et de cœurs aseptisés. Le mot d'ordre est de tout minimiser, tout atté-nuer pour ne jamais heurter. D'euphémismes en périphrases, la France s'ennuie, se perd, se meurt.

Ainsi, émettre une idée « *out of the box* » revient à s'exposer aux plus vives critiques, à être mis au ban de la belle société des bien-pensants. Dangereuse dérive pour le pays des droits de l'homme, des grands esprits qui, sans leur sens de la provocation, n'auraient jamais offert à notre Nation une telle avance sur le plan des idées et un tel rayonnement intellectuel. Bousculer, repousser les limites, refuser les cadres, déborder pour provoquer le débat afin de mettre au monde l'idée, le projet qui fera avancer l'ensemble. Voilà ce que l'on n'ose plus dans la France du XXIe siècle. Triste routine intellectuelle. Sommes-nous condamnés à faire de la France une belle endormie, que l'on regarde avec nostalgie… en se remémorant les glorieuses années où elle faisait fantasmer le monde ? J'espère que le réveil ne tardera pas.

Les intellectuels français se sont réveillés après le 11 janvier, pour une partie d'entre eux. Certains osent enfin dire ce qu'ils pensaient véritablement sans avoir osé le dire jusque-là. Ils souhaitaient sûrement se préserver de la vindicte médiatique. Je ne crierai pas « Aux armes, citoyens ! » mais « À l'intelligence, citoyens ! ». L'intelligence est notre arme, portez-la haut ! Refusons les raccourcis de la pensée, le prêt-à-penser, soupe indigeste, insulte à nos esprits, que l'on nous sert chaque jour. Posons tous les sujets sur la table, traitons-les sans peur, sans crispation, sans idées préconçues. Le débat peut être houleux, dur, qu'importe, ainsi seulement il sera vivant! Croyez-vous que la République soit née dans le calme, sans bruit, sans heurter, sans déranger? Croyez-vous que le suffrage universel se soit imposé facilement? Que le droit de vote des femmes n'ait connu aucune résistance alors qu'elles avaient pourtant participé à l'effort national pendant les deux grandes guerres? Croyez-vous que la loi de 1905 de séparation de l'Église et de l'État se soit imposée sans secouer la société, le Parlement, sans provoquer des cris, des larmes et même du sang? Croyez-vous que la peine de mort ait été abolie facilement ou que la loi autorisant l'IVG ait été une promenade de santé pour Simone Veil?

Chaque avancée majeure, chaque pas vers la modernité et le progrès connaît de fortes résistances et secoue les sociétés. Ces décisions, à chaque époque, renvoient à ce qu'il y a de plus intime, à nos convictions profondes, et c'est le rôle, à mon sens, du responsable politique de réveiller le citoyen qui sommeille en nous. Le débat sur l'islam de France sera l'un de ces débats qui bousculera la société française. Je suis convaincue que ce débat sera primordial et que nous devons exiger courage, franchise et autorité. Nous devons le porter sans nous cacher derrière des postures et des petites phrases.

Le repli sur soi est une tentation qui touche de plus en plus de Français. Notre société est anxiogène et le reste du monde est vécu comme une concurrence souvent déloyale. Pour se protéger, on préfère rester chez soi, entre soi. L'universalisme de Marianne ne peut se satisfaire de regarder uniquement en arrière et de se retrancher dans son hexagone. Nous devons retrouver de l'ambition et exporter le « *French spirit* » : fraternité, liberté, solidarité et laïcité.

Depuis longtemps, les dirigeants politiques ont trois modèles qu'ils citent en boucle, tantôt la Suède lorsqu'ils traitent de l'égalité homme-femme, tantôt la Grande-Bretagne lorsqu'ils parlent de « vivre ensemble », et parfois l'Allemagne pour les réformes économiques. Je comprends la nécessité de s'inspirer de ce qui « fonctionne ailleurs »... à supposer que cela fonctionne véritablement car peu nombreux sont les Français qui prendront le temps de vérifier la performance de tel ou tel autre pays en la matière. Je crois que le génie français existe toujours. Je crois que nous pouvons à nouveau retrouver notre rang. La France doit redevenir un leader, un phare pour tous les peuples qui rêvent de liberté et d'émancipation. Les valeurs qui fondent notre République peuvent, j'en suis convaincue, se diffuser davantage et éclairer les peuples qui ont soif de Lumières démocratiques et de liberté.

Certains souhaiteraient que l'on évolue petit à petit vers un modèle communautariste comme dans les pays anglo-saxons, d'autres vers un modèle qui reconnaîtrait une religion et laisse-rait les autres vivre à côté comme en Allemagne. Pour ma part, je pense que ces pays qui font fantasmer beaucoup de Français et de respon-sables politiques gagneraient en paix sociale et en équité en appliquant notre modèle laïc. Derrière le vernis de ces différents modèles politiques, il y a peu de mixité, peu de vivre ensemble. Je crois qu'il n'y a pas de pays où les personnes se rencontrent, se mélangent autant qu'en France. Un ami américain, étudiant dans une prestigieuse université, me racontait que le premier Noir auquel il avait parlé, c'était à Paris… Pourtant, il n'était pas originaire d'un village isolé du Kentucky mais bien d'une grande ville de la côte Est des États-Unis ! Les émeutes raciales, les crimes racistes, le chacun chez soi, le cloisonnement sociale, ethnique, religieux… C'est aussi cela, la réalité du modèle américain qui fait tant fantasmer.

Au Canada, pays du « multiculturalisme », les tensions sont extrêmement fortes. Une jeune femme d'origine pakistanaise avait demandé à se présenter en niqab à l'occasion de la cérémonie d'assermentation de sa nationalité canadienne. Cela a suscité de nombreux débats mais, au nom de « l'ouverture » et de la « sensibilité reli-gieuse », les responsables politiques ont préféré céder. La Cour fédérale avait rendu une décision favorable à cette jeune femme, indiquant que le gouvernement canadien ne pouvait pas interdire le niqab lors des cérémonies d'assermentation. Soumission, nous y voilà. Seul les conservateurs ont fait appel de cette décision.

La situation est tout aussi difficile chez nos cousins du Québec. Lors des élections générales, il a parfois été question de la mise en place d'une charte de la laïcité afin d'interdire le port des signes religieux ostentatoires pour les représentants de l'État, dans les institutions publiques et parapubliques. Mais le manque de volonté et de courage politique a condamné ce projet à rester dans les tiroirs. Le Premier ministre du Québec, Philippe Couillard, incarne cette esquive permanente de certains dirigeants politiques. Il avait osé déclarer que l'intégrisme religieux relevait du « choix personnel »… Pourtant, avant son élection, il s'était engagé à agir rapidement pour lutter contre l'intégrisme et à plancher sur un projet de loi sur la neutralité religieuse de l'État. Mais celui qui, après les attentats de *Charlie*, s'était fait un point d'honneur à ne jamais prononcer le mot « islamisme », repousse désormais aux calendes grecques ces décisions « sensibles ».

En Grande-Bretagne, David Cameron a commencé à remettre en cause le modèle communautariste qui favorise la radicalisme islamique lors d'un discours en juillet 2015 à Birmingham sur la lutte contre l'extrémisme et le terrorisme. « Nous devons faire face à une vérité tragique :

il y a des gens qui sont nés, qui ont grandi dans ce pays et qui ne se sentent pas vraiment en lien avec la Grande-Bretagne (…) Il ne s'agit pas seulement de modifier la loi. Il s'agit de changer la façon dont nous combattons l'extrémisme, y compris dans nos universités », a déclaré le leader conservateur. La volonté de Cameron est de rompre avec la politique communautariste menée depuis plusieurs décennies par les autorités britanniques. Il a évoqué la possibilité d'imposer aux écoles confessionnelles l'obligation d'accueillir en leur sein plus d'enfants de différentes religions. Il s'est aussi engagé à lutter contre la radicalisation au sein des écoles coraniques qui dispensent des cours du soir.

La France a souvent été présentée comme un pays isolé, défendant un modèle laïc anachronique et stigmatisant. Les défenseurs du communautarisme aimaient prendre en exemple les États-Unis, le Canada ou la Grande-Bretagne pour louer leur ouverture et leur respect, en opposition avec une vieille France retranchée sur son principe… Il est heureux de constater que le communautarisme montre son vrai visage et les dérives qu'il engendre. Les Britanniques se réveillent. L'exception culturelle française que représente la laïcité aura, j'en suis persuadée, vocation à rayonner au-delà de nos frontières.

Je crois qu'au niveau européen, où il y a une pluralité de confessions et d'organisations politiques, il conviendrait d'intégrer la laïcité dans la Constitution européenne. Certains militent pour y inscrire les racines chrétiennes de l'Europe, pourquoi pas ? C'est une reconnaissance historique. Toutefois, l'Europe connaît sur son territoire depuis longtemps des populations juives et musulmanes, certes minoritaires, mais cela correspond également à une réalité historique. Je crois qu'engager des débats sur ces sujets risque de créer des crispations majeures et il me semble que c'est à ce moment-là que la vocation universaliste des valeurs de la République française peut intervenir. La France de Schumann pourrait apporter à l'Europe du XXIe siècle ce qu'elle a de plus précieux : la laïcité, mère de la fraternité.

Ignorer l'identité, c'est faire le nid des partis extrémistes

En Grande-Bretagne, en Belgique ou au Canada, comme en France, les autorités sont débordées par l'islamisme et ses revendications incessantes et provocatrices. Chaque demande est un test de la solidité des autorités et du modèle démocratique auxquels elle s'attaque. Les extrémistes religieux font preuve d'une intransigeance effrayante, refusant de céder sur le moindre point pour favoriser l'apaisement social. Avec ces méthodes, ils poussent un nombre toujours plus important de personnes à radicaliser leurs opinions politiques, les jetant dans les bras des partis populistes. Ils font le nid de l'extrême droite, engendrent des discours violents à leur endroit, ce qui leur permet d'utiliser la stratégie des têtes à claque : « Je provoque la situation, j'attends que cela dégénère puis je me positionne en victime. » C'est ainsi que, régulièrement, nous avons le droit d'entendre les habituels provocateurs de la République pleurnicher sur le prétendu « racisme » de la France, sa « xénophobie », son « islamophobie ».

Ces comportements sont de véritables aubaines pour les partis populistes. Les islamistes et les extrémistes en sont les meilleurs alliés, ils se retrouvent dans une vision fascisante de la société et se nourrissent l'un de l'autre. Les différentes échéances électorales ont démontré leur nette progression au Royaume-Uni, en France ou au Canada. Le parti pour l'indépendance du Royaume-Uni (UKIP), qui a centré sa campagne sur le refus des immigrés, a totalisé 27,5 % des suffrages aux élections européennes de 2014, passant devant les deux partis traditionnels britanniques. Une première depuis 1918. En France, à ces mêmes élections européennes, le Front national a remporté 24,9 % des suffrages avec une progression de plus de 18,6 points par rapport au scrutin de 2009.

Ces partis ont pour point commun la critique des élites, jugées incompétentes, corrompues, sourdes et aveugles face aux problèmes du peuple… Ils canalisent les agacements, les craintes liées aux difficultés économiques et identitaires. La mondialisation et sa cohorte de délocalisations qui condamnent les travailleurs à la précarité, sans possibilité de reconversion, avec pour seule perspective, pour les plus âgés, d'attendre une retraite misérable. La libre circulation est synonyme de concurrence déloyale pour le travailleur, permettant à une main-d'œuvre étrangère de venir directement prendre son travail, avec des exigences salariales dérisoires.

Mais l'explication économique, le chômage, la paupérisation ne suffisent plus à expliquer la progression des partis populistes. Les pays du nord de l'Union européenne (Grande-Bretagne, Danemark, Finlande, Pays-Bas, Suède) connaissent un faible taux de chômage et une situation économique plutôt favorable, pourtant les populistes de droite y ont enregistré des scores importants. Les électeurs de ces pays ont sans doute exprimé par leur vote des inquiétudes liées plutôt à l'avenir de leur mode de vie, de leurs valeurs, dans un monde de plus en plus globalisé. L'identité et le mode de vie, ces repères précieux, rassurants, sont attaqués par des personnes qui refusent toute adaptation au pays dans lesquelles elles vivent désormais.

Ces votes populistes sont-ils des « cris d'alarme », selon l'expression consacrée ? Ils le sont certainement. Ils disent l'agacement, la peur, l'urgence et appellent les dirigeants politiques à redescendre sur terre. La politique ne peut se faire uniquement entre le Parlement, le siège d'un parti et quelques plateaux télévisés, le tout en prenant le taxi ou avec un chauffeur. Les politiques sont de plus en plus en « décrochage » avec le pays. Le reflet de l'âme de la France ne se trouve pas dans ces îlets parisiens où tout va bien. La France bouillonne, souffle, angoisse. Il faut la sentir, prendre le temps de l'écouter, l'observer. Aujourd'hui, elle me semble incomprise, délaissée et parfois méprisée. Elle se renferme et bouillonne. Elle est complexe et on ne peut la comprendre uniquement à travers des « rapports », des « notes », des articles de journaux « absolument révélateurs ». Il est, à mon sens, indispensable de se fondre en elle. C'est un exercice auxquels les politiques doivent s'astreindre et cela doit se faire au-delà du cercle de militants ou d'associatifs, que l'on rencontre lors des réunions publiques. C'est la France qui décroche, qui se tait, qui tombe dans la fatalité que l'on doit rencontrer et écouter à nouveau et rapidement.

Marianne protège

Le degré de violence à l'endroit des forces de l'ordre dans certains quartiers n'a jamais été aussi élevé, notent les syndicats de police, qui se sentent isolés et abandonnés par le gouvernement. Les fusillades de Grenoble en juin ne font que confirmer la tension qui règne dans les quartiers abandonnés par la République et le gouvernement Valls. Comment ne pas comprendre la colère et l'inquiétude grandissante de la police nationale ? Comment ne pas se sentir trahi, quand madame Taubira compose avec les délinquants et oblige la police à les arrêter quinze ou vingt fois avant d'obtenir le début d'une peine ? Comment ne pas se sentir trahi, quand madame Taubira préfère laisser les mineurs délinquants dans la rue et supprimer les tribunaux correctionnels pour mineurs ? Comment ne pas se sentir trahi quand monsieur Valls annonce en grande pompe le lancement de zones de sécurité prioritaire (ZSP) pour lutter contre la délinquance et qu'il ne crée aucun poste à l'intérieur de ces dispositifs ? La violence et les agressions augmentent, les cambriolages explosent et le gouvernement Valls ne dit rien, ne fait rien.

Les policiers sont au bord de l'implosion, aucune réponse ne leur est apportée concernant la réforme horaire, la redistribution efficiente des effectifs ou bien encore la revalorisation salariale des officiers de police judiciaire. Pourtant, la police est une institution fondamentale de notre société. L'oublier, c'est trahir la République. L'oublier, c'est mettre en danger la France et les Français. Respecter la police, c'est respecter la République, saluer son courage, c'est lui rendre justice et c'est le minimum, quand même… Nous avons célébré en janvier leur courage, leur abnégation, leur mobilisation constante – mais dès septembre ils étaient déjà oubliés.

Les attaques des 7, 8 et 9 janvier 2015 étaient des attaques contre la République, et notamment son autorité. Or, faire respecter les lois de la République passe par un nécessaire renforcement des moyens de la police nationale et non par l'angélisme larmoyant de madame Taubira avec les délinquants et les détenus. Il ne s'agit pas de construire un État policier ou de mettre en place une société liberticide, comme certains aiment à le raconter. Il s'agit tout simplement de mettre en place une République forte, fière de ses principes, de ses valeurs et de son histoire. Une

République forte qui saura faire appliquer ses règles. Or, cette République forte passera nécessairement par un plan Marshall pour la police.

Un plan Marshall pour la police, ce ne sont pas que des mots...

Ce sont des moyens humains et matériels supplémentaires et également des cadres judiciaires d'action de la police renouvelés. Davantage de moyens et surtout « mieux de moyens ». Il ne sert à rien d'aller s'attaquer à la délinquance dans les cités avec l'idéologie de la police de proximité. L'îlotage en banlieue est aussi efficace que vider la mer avec une petite cuillère. Il faut revenir aux fondamentaux : certaines cités sont en guerre avec la police et ce n'est pas la politique du dialogue qui stoppera les trafics de drogue, les vols avec violence, les crimes et délits sexuels, ni les provocations permanentes aux valeurs de la République. Ce qu'il faut, c'est plus de BAC, plus de véhicules rapides, plus de CRS en sécurisation avec des pouvoirs judiciaires étendus.

Ce qu'il faut, c'est un cadre juridique plus opérationnel pour la police... C'est-à-dire un cadre dans lequel la police pourra mener des perquisitions ou des écoutes, notamment dans les milieux islamistes, sans craindre de voir ses procédures annulées par le parquet. Une chaîne pénale réellement homogène, cohérente et solidaire. Il n'est plus question, dans une France qui doit faire face à un risque d'attentat majeur, d'avoir cet angélisme coupable vis-à-vis des détenus et des récidivistes. Il n'est plus possible de se moquer autant de l'action de la police, comme c'est le cas aujourd'hui, et de permettre à des jeunes de narguer les forces de l'ordre en venant dix fois en garde à vue sans aucune sanction pénale !

Un plan Marshall pour la police, c'est également l'adoption de lois d'exception pour certaines communes. À situation exceptionnelle, cadre juridique exceptionnel. Il faut arrêter la collusion d'intérêts et le clientélisme de certains élus avec les milieux communautaristes islamiques. Le versement des subventions communales, mais également de la politique de la ville via l'ACSÉ (Agence nationale pour la cohésion sociale et l'égalité des chances) par exemple, ne doit pas se faire au mépris des principes élémentaires de la République. L'argent public n'a pas vocation à financer des quartiers communautaristes. L'argent public n'a pas vocation à financer des associations qui rejettent le modèle républicain et qui prônent la mise en place d'une société communautariste. N'oublions jamais que le communautarisme est le terreau de la radicalisation islamique. Ne pas le comprendre, c'est être aveugle et surtout irresponsable. Je propose donc, dans le cadre de ces mesures exceptionnelles d'un plan Marshall pour la police, que le budget de quelques communes, gangrénées par le communautarisme, soit directement réglé par le préfet. Le retour à la norme républicaine exige dans certains quartiers une rupture avec la logique décentralisatrice d'autonomie des collectivités locales. Dans certains quartiers, ce n'est pas d'élus clientélistes dont on a besoin, mais d'État.

Que s'est-t-il passé depuis les attentats ? Quelles mesures ont réellement été prises ? Quelles réflexions sérieuses ont été engagées pour lutter contre le communautarisme dans les banlieues ? Rien. Tous les deux mois en moyenne depuis janvier, nous avons le droit à un attentat. La chance nous a préservés d'effroyables boucheries. Sid Ahmed Ghlam s'est blessé, il aurait pu massacrer des dizaines de fidèles de la paroisse de Villejuif. Ayoub El Kahazzani s'était préparé à tuer froidement près de trois cents personnes prises dans la souricière du Thalys. Notre chance fut d'avoir de courageux passagers et la présence de soldats américains qui ont agi pour éviter que l'entreprise macabre ne s'accomplisse. Nous ne pourrons pas éternellement compter sur la chance ou la maladresse de ces ennemis de la France. Alors oui, il nous faut d'urgence un plan Marshall pour la police. Elle est notre seul rempart, la gardienne de notre sécurité et du temple républicain. Le ministre de l'Intérieur a annoncé, après l'attentat

179

du Thalys, la mise en place d'un numéro vert pour signaler des passagers suspects… Est-ce véritablement sérieux et à la hauteur ? Cela pourrait être risible si la situation n'était pas si dramatique. Un numéro vert avait également été mis en place après les attentats de janvier pour lutter contre la radicalisation… Le numéro vert est l'arme de dissuasion contre la radicalisation et le terrorisme que nous présente fièrement ce gouvernement dépassé par les événements. C'est à pleurer. Soyons pragmatique, nos règles existent, nos principes aussi. Il est plus que temps de donner à la police les moyens de nous protéger. Cela peut passer par l'autorisation de porter son arme hors service, par un recentrage de ses missions, car la police n'a pas vocation à mobiliser du personnel pour assurer des gardes statiques devant des entreprises privées qui ont les moyens de faire appel à une société privée. La paupérisation des agents de police s'accentue, les salaires ne sont pas réévalués et les policiers se retrouvent à vivre dans des quartiers difficiles, où ils doivent cacher leur appartenance à la police nationale pour protéger leur famille d'éventuelles représailles. Il convient également de revaloriser l'image de ce métier et d'améliorer leurs conditions de vie en leur accordant de manière prioritaire des logements dans le parc locatif social des centres-ville…

Le contrôle au faciès : c'est toujours la faute de la police

De manière assez populiste et pour flatter l'électorat des « minorités », des « banlieues », François Hollande avait promis de mettre fin au « délit de faciès », autrement dit au contrôle au faciès de la police. Une promesse de campagne qui fut calamiteuse pour l'image des détenteurs de l'autorité de l'État car elle participe à la stigmatisation de la police, la présentant comme raciste, remettant en question l'honnêteté et la probité de ses fonctionnaires.

Cette demande est soutenue depuis de nombreuses années par des associations de lutte contre le racisme, et aujourd'hui par d'autres bien plus sulfureuses comme « les Indivisibles », le « Collectif de lutte contre l'islamophobie » et... la « Brigade anti-négrophobie »... Et bien... bel équipage ! Tant pis si c'est caricatural... Il faut bien se créer de petites boutiques pour exister ! Toujours est-il que le dessein que poursuivent toutes ces organisations est de présenter la France comme un pays de ségrégation, de discrimination d'État. Le candidat Hollande a fait une erreur en les flattant pour gagner leurs voix.

La fracture police-population dans certains quartiers n'a jamais été aussi importante. On ne la réduira pas en donnant l'impression aux policiers que la faute vient d'eux. Évidemment

quelques mois plus tard, la promesse de
« Moi, président » a été rapidement oubliée.
Toutefois, l'idée d'un récépissé de contrôle
ou d'un « procès verbal » suite à un contrôle
avait été évoquée, avant d'être abandonnée à
son tour. Ces mesures auraient été intenables
pour des raisons de ressources humaines, car
on ne peut pas mobiliser les heures de travail
des policiers pour toujours plus de formalités
administratives.

C'est plus de bureaucratie et de complexité
à gérer alors que les policiers doivent déjà se
concentrer sur les enquêtes, arrestations et
avoir la plus grande concentration pour remplir les procès-verbaux, afin d'éviter que toutes
les enquêtes tombent à l'eau pour une simple
erreur de procédure. Ne les étouffons pas avec
davantage de paperasse, ils sont déjà suffisamment débordés et épuisés. On peut penser, à
première vue, que ce « récépissé » pouvait
apporter une preuve formelle d'un contrôle non
justifié mais comment un contrôle peut-il être
parfaitement justifié ? Si celui-ci intervient après
un délit, cela se nomme une interpellation. S'il
intervient avant un délit, c'est de la prévention.
Mais comment être certain de la totale légiti-
mité d'un contrôle avant un délit ? Cela se révèle
impossible. Il faut faire confiance à la police et
à son professionnalisme. En cas de dérive, il
faut s'en remettre aux organes de contrôle de

la police qui devront sanctionner avec la plus grande sévérité.

Jacques Toubon, devenu défenseur des droits, avait dans un rapport dénoncé les contrôles faits sur la base de « critères subjectifs », d'« instincts », et soulevé que l'encadrement ne présentait pas suffisamment de « garanties contre le risque d'arbitraire ». Une étude datant de 2009, menée à Paris par le CNRS, démontre que les Noirs et les Arabes ont six et huit fois plus de chances d'être contrôlés que les Blancs. Elle démontre aussi que les styles vestimentaires influent sur le nombre de contrôles, en effet, on a moins peur d'une personne habillée de manière classique que d'une personne à la mode « kaïra » ou « punk à chien ». C'est aussi le « look » que beaucoup de délinquants empruntent. Ils ne font pas leur garde à vue en pantalon de velours côtelé, chemise, blazer et richelieux ! C'est ainsi, reconnaissons-le ! Je crois que le plus urgent n'est pas de céder aux revendications de groupuscules militants comme le collectif « stop aux contrôles au faciès », soutenu par les associations douteuses que j'ai évoquées plus haut.

Ce qui importe aujourd'hui, c'est de recréer le lien entre population et police. Il faut restaurer la confiance entre la police et la population, notamment dans les quartiers difficiles où ils sont reçus par des jets de pierres. Il faut qu'au sein de l'école, les policiers ou les réservistes fassent des visites et œuvrent, avec le corps enseignant à contrecarrer les discours haineux que ces jeunes enfants entendent toute la journée de la part de leurs parents ou de l'entourage « du quartier ». Le temps scolaire pourrait permettre, en utilisant à bon escient la réforme des rythmes scolaires, à établir le lien avec les représentants de la République et à déconstruire les « clichés » et « stéréotypes » néfastes que ces enfants ont dès le plus jeune âge. Au lieu de faire des bols en terre cuite, apprenons-leur le respect et la confiance envers les forces de l'ordre.

Toujours plus d'indulgence pour les délinquants

Un contrôle de police a dégénéré au Mirail à Toulouse, des affrontements qui durent une heure. Deux policiers qui ne parviennent pas à s'en sortir face à une trentaine d'individus – souvent mineurs – prêts à en découdre. Des renforts qui doivent tirer trente fois au flashball pour se dégager. Un épisode banal dans un quartier difficile. La presse ne prend même plus le temps de relayer. J'imagine les réactions dans les rédactions :

— *Des émeutes dans un quartier chaud, on en parle ?*

— *Ça n'intéresse personne, t'as autre chose ?*

— *Des flics ont failli y passer, ils étaient trente jeunes contre deux policiers.*

— *Comme d'hab. À Grenoble il y a eu une fusillade dans un quartier. Tu vois c'est banal, on pourrait faire un journal complet avec ces incidents. T'as quoi d'autre ?*

Qui a parlé de cet évènement ? Le ministre de l'Intérieur ? Manuel Valls ? François Hollande ? madame Taubira ? Non... personne, aucun membre du parti socialiste n'a pris la parole pour soutenir la police nationale. Inacceptable. Le sentiment d'isolement et d'abandon est très fort. Prendre systématiquement le parti des mineurs délinquants sans se soucier des victimes, appliquer l'indulgence, la compréhension pour des délinquants toujours perçus comme des « victimes de la société », c'est verser dans une forme de romantisme mortifère. C'est aussi renier l'essence même de ce qu'est la justice.

Comment ne pas comprendre la colère et l'inquiétude grandissante de la police nationale ? Sa lassitude quand la justice s'obstine à ne pas condamner les délinquants ? Un mineur délinquant de 14 ans est certainement un jeune paumé mal encadré mais un délinquant qui doit être sanctionné. Les peines pourraient ne pas être les mêmes car son manque de maturité peut constituer une circonstance atténuante, mais la justice doit se faire et il ne faut pas verser dans l'angélisme. La « carrière » de délinquant débute dès l'âge de 8-10 ans, en commettant de petits larcins ou en faisant le guetteur pour les trafiquants de drogue, le « choufchouf », comme disent les policiers. Ces jeunes connaissent leurs droits et savent pertinemment qu'ils ne risquent rien avant 13 ans, qu'ils pourront ensuite compter sur les remises de peine et que le passage par la case prison fera monter leur cote dans le quartier.

Les parents sont coupables de laisser des enfants si jeunes traîner dans les rues d'un quartier où ils savent que rien de bon n'arrivera. Je condamne très sévèrement ces parents qui donnent la vie pour en faire un long cauchemar. Ces parents-là ne comprennent que les sanctions financières, celles « qui touchent le portefeuille ». Si leurs enfants versent dans la délinquance il faudra, selon l'âge, les leur retirer la semaine pour les placer dans un pensionnat et supprimer le versement des allocations familiales aux parents irresponsables. Le pensionnat sera financé en partie par cette même allocation. Ces pensions pourraient être des internats de lutte contre l'échec, de « non-excellence » en quelque sorte. La réouverture de pensions au cadre strict, avec uniforme, pourrait constituer une solution pour aider ces très jeunes délinquants à se restructurer et à s'échapper de leur environnement dévastateur.

cambriolage, braquage, en ressortent ensuite avec une obsession de l'islam, une barbe, une novlangue que même le musulman classique ne comprend pas. Ils ponctuent chaque phrase par des « Inch'allah », « Mach'allah » « Sartek » et autres expressions d'un arabe pseudo-religieux. Ils refusent de dire bonjour aux femmes et vont désormais à la mosquée régulièrement. Après le trafic de stups, le salafisme… Je me souviens d'une scène qui a eu lieu dans mon petit village de Kabylie, lors d'une cérémonie funéraire. Alors que les anciens du village allaient procéder à la mise en terre du corps d'un défunt, dans le respect des pratiques ancestrales, un jeune homme, né en France, délinquant notoire devenu spécialiste ès islam, s'est précipité habillé en djellaba blanche, pour hurler en disant que cela était contraire au « Coran de La Mecque », que le corps devait être placé autrement et que c'était un « grand » cheikh égyptien qui l'avait dit… Stupéfaction des villageois. Il avait osé, à ce moment-là. Les anciens furent scandalisés. Comment osait-il leur faire la leçon sur ce qui se faisait ou pas, ce qui était conforme ou pas à leur religion et à leur tradition ? L'un d'eux, exaspéré, s'est mis à hurler : « Dégage de là, saleté ! Dégage, avec tes conneries ! Tu crois que la barbe, ça fait de toi quelqu'un de bien ? Derrière ta barbe, c'est le trafic de drogue que tu caches ! » Cette scène disait le schisme qui se produit actuellement entre les musulmans et les islamistes, entre les anciens et les plus jeunes, entre certains enfants des quartiers et les autres.

Évidemment, ce jeune ignare était passé par la case prison et c'est à sa sortie qu'il s'est découvert une vocation religieuse. L'islamisme et le jihad, c'est la mode dans les prisons. Ce n'est plus Al Pacino qui fait rêver les caïds, c'est Abou Bakr al-Baghdadi, chef de Daech, ou plus prosaïquement Mohamed Merah. Ce n'est pas la sculpturale Michelle Pfeiffer qui les fait vibrer… mais une fille « hlal » (halal), une vierge qui acceptera d'être emballée dans un drap et de défiler dans les rues couverte avec un sac-poubelle noir, un panneau publicitaire pour le salafisme… Selon eux, « si tu es un homme, tu couvres ta femme, ta sœur, tes filles ».

Il y a véritablement urgence à endiguer ce phénomène de radicalisation dans les prisons. Il est intolérable de condamner une personne pour un crime ou un délit et de la voir sortir totalement radicalisée. La réinsertion sociale par le jihad… La prison fabrique des bombes à retardement. Le personnel doit être mieux formé et plus nombreux, les individus radicalisés doivent être signalés et faire l'objet d'un isolement prolongé. Les personnes qui prêchent dans les prisons doivent être isolées, et leur peine alourdie. Augmenter le nombre d'aumôniers, c'est reconnaître que les prisons sont majoritairement peuplées de musulmans. Avec cet aveu, il n'est nul besoin de demander des statistiques ethniques. Dans certaines prisons, il est préférable de se convertir ou de pratiquer assidûment afin d'éviter les ennuis. C'est un cercle vicieux que l'État doit briser de manière urgente. Un rapport publié par Adeline Hazan, contrôleure des prisons, recommandait de disperser les sujets radicalisés et d'éviter de les regrouper. Ce serait à mon sens une erreur majeure. C'est comme prendre une cellule cancéreuse et la diffuser à l'ensemble des organismes vitaux. Au contraire, il faut les rassembler, les contrôler et minimiser leurs contacts avec les autres détenus. Il faut les traiter de la manière la plus sévère possible, cela passera l'envie à d'autres de prendre ce chemin.

Dans ce cadre, je suis favorable à la réouverture d'une nouvelle forme de bagne pour les cas les plus radicalisés et prosélytes, mais également pour ceux qui rentrent du jihad. Ces personnes, jeunes ou moins jeunes, n'ont aucune excuse, leur projet était de partir à la guerre pour tuer les mécréants, les musulmans, les chrétiens d'Orient, de se former pour revenir ici commettre des attentats. Nous ne devons pas avoir de tabou, je crois que Cayenne doit reprendre du service. Comme les États-Unis hier, aujourd'hui la France est la première cible des islamistes. Ces jeunes hommes et femmes ont choisi leur camp, celui de la barbarie, et ils sont entrés en guerre contre nous. À nous d'avoir une réponse à la hauteur des enjeux, pas d'angélisme, il faut les traiter comme des traîtres à la nation, des ennemis de la civilisation, des bombes humaines qui attendent de répandre la terreur et le sang. Les islamistes sont les nazis d'aujourd'hui.

Leur retour doit être signalé dès le premier contrôle de douane à l'aéroport ou dans les trains transfrontaliers. Pour cela, il faut un contrôle accru des frontières, une collaboration avec les compagnies aériennes, maritimes et ferroviaires qui doivent transmettre leurs données aux services de renseignement afin de repérer ceux qui rentrent du jihad. Le vote du PNR (*passenger name record*) au Parlement européen est une première étape. Mais il ne faut pas baisser la garde. Il ne faut pas attendre un attentat pour agir. La France est la première cible. Nos ennemis sont à l'extérieur, mais ils sont désormais également à l'intérieur. Il faut les capturer et les mettre hors d'état de nuire. À situation exceptionnelle, mesures exceptionnelles.

« Mais… vous faites le jeu du Front national? »

Je prends les devants sur l'indignation prévisible de certains représentants de la pensée unique lorsqu'ils liront mon livre et je leur dis simplement que si le FN est aujourd'hui à 30 %, ils en portent la totale responsabilité. Ce n'est pas moi qui ai fait monter le FN, c'est en effet bien eux qui, pendant trente ans, ont fait preuve d'un aveuglement total à l'égard des difficultés des Français. Ils ont nié les vérités, ils ont nié les appels au secours, pire : ils ont nié l'existence même du peuple… Quand on leur parlait de communautarisme, ils répondaient par « inégalités sociales ». Quand on leur parlait de délinquance et d'insécurité, ils répondaient « ghettoïsation ». Quand on leur parlait d'islam radical, ils répondaient « multiculturalisme ». Quand on leur parlait de chômage, ils répondaient « ascenseur social cassé ». Quand les jeunes dénonçaient leur exode forcé pour trouver un travail et que des bac + 5 finissaient caissière ou agent de sécurité, ils répondaient

« emplois aidés », « emplois jeune », pire : « Smic jeune ». Bref, ils fuyaient leurs responsabilités, contournaient les problèmes et érigeaient la culture de l'excuse et de l'absence d'« égalité réelle » dans la société en dogme intangible, pour masquer leurs échecs et leurs insuffisances. Pire que cela, ils ont culpabilisé les Français à longueur de décennies sur le partage, l'égalité, la tolérance et le pardon. Ils étaient des politiques, ils se sont pris pour des curés !

Quel fut le résultat ? Le peuple en eut assez d'être infantilisé par un système élitiste qui l'a totalement nié, totalement refoulé. Il s'est alors pour une partie importante réfugié dans le vote contestataire, prétendument anti-système, dont le Front national est le représentant le plus emblématique.

Enfermés dans leur bulle de suffisance, certains de nos élus ont oublié le sens même de ce que sont la politique et la démocratie, c'est-à-dire une relation de confiance entre le peuple et ses représentants. Les politiques et les médias parisiens se sont coupés du peuple et l'ont méprisé, considérant qu'il était incapable de penser par lui-même et qu'il fallait absolument le mettre sous tutelle intellectuelle. Ils ont considéré ses membres comme des sans-voix ou des « sans-dents » pour certains… tout juste bons à glisser un bulletin dans une urne, à condition de les guider ! Alors aujourd'hui, il ne faut pas s'étonner qu'une partie du peuple se révolte et vote pour le FN... Cessez donc, messieurs, cette fausse indignation, arrêtez de feindre la surprise! Quand on humilie le peuple, il ne le tolère pas très longtemps, l'histoire l'a toujours prouvé.

Le Front national prospère sur la lâcheté, les non-dits et le mépris de classe. Les renoncements font son nid. La peur de dire les choses et les tabous en tout genre renforcent le sentiment qu'il est le seul parti à dire « la vérité ». La défiance vis-à-vis de la classe politique et journalistique, deux mondes qui souvent n'ont font plus qu'un, grandit chaque jour. Mais il devient très difficile de cacher le mépris et le décrochage avec le monde réel quand les réseaux sociaux et les moyens de communication se multiplient. La collusion des intérêts, des modes de vie, des amitiés, des relations est telle que l'on ne sait plus qui fait quoi. Le politique devient un commentateur de la vie politique. En se laissant prendre à l'exercice imposé par les chaînes d'information en continu, il réagit sans cesse, sur l'instant, et commente sa propre action ou le plus souvent sa propre inaction... Les Français en arrivent à se demander quand il peut réellement trouver le temps de travailler ses dossiers... Les journalistes, quant à eux, prennent des tons militants, font dans la subjectivité en brandissant pourtant leur fameuse déontologie en étendard! Ils s'acharnent, dépassent le cadre de leur fonction, et vocifèrent comme un militant de l'Unef-ID qui découvre les bancs de la fac. Tout cela est ridicule et ressemble à une grosse crise d'adolescence ou à un Œdipe mal réglé pour certains. Le spectateur, lui, n'est plus dupe ; il décrypte et comprend la manœuvre grossière.

Je sais qu'il n'est pas recommandé de critiquer les journalistes quand on est engagé en politique, mais ce mélange des genres atteint un tel niveau que les journalistes eux-mêmes le reconnaissent en « off ».

Les classes politique et médiatique se ressemblent, s'invitent, se fréquentent... La France, elle, est laissée de côté... ce n'est que pour les habitués, les « happy few ». Les médias et les partis politiques deviennent des clubs de notables, les « fils de » ou « filles de » trustent les places, le renouvellement n'est le plus souvent qu'un concept marketing, et la jeunesse un alibi... Il faut croire que la politique conserve, à 50 ans on est encore un jeune premier ! Alors imaginez à 30 ans, surtout quand on est une femme... De ce point de vue, le FN a flairé une opportunité et s'est glissé dans la brèche. Il a construit depuis quelques années l'image d'un parti qui donne sa chance à la jeunesse. D'ailleurs, et c'est inquiétant, les jeunes votent de plus en plus pour lui. Le conservatisme des appareils politiques donne des éléments de « dédiabolisation du FN ». Marine le Pen semble empiler les arguments de communication politique pour se dédouaner de toute sclérose. Le rance de l'idéologie originelle du FN est habillé par la modernité des images. Des jeunes, de la diversité, des gays, des femmes... Le FN nouveau est arrivé. L'emballage est hélas séduisant pour de nombreux Français. Mais le discours de fond et le projet sont toujours les mêmes, dévastateurs pour la France.

Le Front national ment. L'entreprise familiale, père, fille, nièce, beau-fils, prospère car elle agite les peurs, joue avec les passions, fait le grand écart entre l'extrême gauche et l'extrême droite, mais jamais, non jamais, n'apportera des solutions. Alors plus que jamais, nous devons nous unir et mener le combat pour la République et ses valeurs, car c'est la seule voie qui soit durable et fidèle à l'identité de la France, car c'est la seule voie qui nous permettra de faire société.

#Je suis Marianne et je n'ai qu'un seul ennemi, le FN et tous ceux qui, par leurs compromissions ou leurs lâchetés, à droite comme à gauche, le rendent possible et permettent son ascension dans la société française.

TABLE

Cet ouvrage a été imprimé par
CPI Firmin Didot à Mesnil-sur-l'Estrée
en décembre 2015

Composition réalisée par Belle Page

Grasset s'engage pour
l'environnement en réduisant
l'empreinte carbone de ses livres.
Celle de cet exemplaire est de :
600 g éq. CO$_2$
Rendez-vous sur
www.grasset-durable.fr

PAPIER À BASE DE
FIBRES CERTIFIÉES

Nº d'édition : 19154 – Nº d'impression : 131888
Dépôt légal : décembre 2015
Imprimé en France